*Chère lectrice,*

Nous allons commenc[...]e!
N'est-ce pas une bonne [...]ur
mettre un pied, puis les [...]

Atttaquons donc bille en tête avec le [...]3),
idylle de rêve dans un décor de cinéma qui pourrait tourner au
scandale, précisément, si la romance venait aux oreilles de son
Altesse sérénissime... Il y aura de l'eau dans le gaz, aussi, si Kit
ne réussit pas à récupérer des bijoux volés mais également un col-
lier de saphirs qu'elle a perdu au jeu par négligence. Elle y per-
drait son job à la compagnie d'assurance où elle travaille. Hélas,
le beau Simon Beaulieu se met sans cesse en travers de son
enquête... (*Pour quelques saphirs volés*, 1034, suspense)... Quand
New York est plongé dans le noir total par une panne d'électricité
impromptue et généralisée, la rencontre très organisée de Caitlin
avec le lointain copain qui doit la mettre enceinte, puis disparaître
de sa vie, devient *Un rendez-vous très inattendu* avec un amant
sans visage. L'amour avec un parfait inconnu? Oh, *chocking!*
(1035)... Et que dire des pensées scandaleuses du procureur
Roarke Farrell (votre Homme de ce mois) pour la belle avocate à
laquelle il s'oppose dans sa nouvelle affaire? Allez-vous jeter vos
principes aux orties, Procureur, et chercher à séduire la Défense?
(*Valet de cœur en danger*, 1036)... La *Trop belle, Trop riche*
Laura est-elle la maîtresse d'un sénateur corrompu? Cruelle question pour Gentry, tombé fou amoureux de cette jeune femme qui,
apparemment, se donne sincèrement à lui. Quelques vérifications
s'imposent... Comment Laura prendra-t-elle ces précautions
méfiantes, si elle en a vent? Gentry n'est pas très à l'aise... (1037)
Et pour finir, eh bien, non, il n'y aura pas de scandale au vieux
ranch de Dan Holt. A condition que son fils, J.D. sache protéger
certains secrets — ce qui suppose de lutter contre la convoitise de
son voisin, et surtout contre la persuasion extrêmement féminine
de l'envoûtante Lydia (*Le choix des armes*, 1038).

Excellent début d'année,
Excellent début de siècle,
Tout cela en compagnie de Rouge Passion, naturellement!

*La responsable de collection*

*Chère lectrice,*

*À l'aube de cette ère nouvelle qui suscite tant de rêves et d'espoirs, les Editions Harlequin souhaitent partager avec vous ce moment d'exception et vous remercier très chaleureusement de votre fidélité.*

*Pour que 2001 soit une année vraiment inoubliable, nous vous promettons de vous offrir des romans toujours plus captivants, des coffrets irrésistibles, et bien d'autres surprises encore afin qu'émotion rime avec passion !*

*Nous vous souhaitons d'excellentes fêtes de fin d'année et vous adressons nos meilleurs vœux !*

*Les Editions Harlequin*

BONNE ANNÉE 2001 BONNE ANNÉE 2001 BONNE ANNÉE 2001

# Scandale princier

# KATHRYN JENSEN

# Scandale princier

COLLECTION ROUGE PASSION

*Cet ouvrage a été publié en langue anglaise
sous le titre :*
THE EARL TAKES A BRIDE

*Traduction française de*
CATHERINE DUTEIL

HARLEQUIN ®
est une marque déposée du Groupe Harlequin
et Rouge Passion ® est une marque déposée d'Harlequin S.A.

Originally published by Silhouette Books,
division of Harlequin Enterprises Ltd.
Toronto, Canada

# 1.

Incroyable ! Cette mère de trois enfants l'émoustillait comme un collégien, songea Thomas. Il suffisait que Diane Fields pose sur lui ses doux yeux noisette... et il se sentait perdre tout sens commun. Pire, il en arrivait à oublier qu'il appartenait au premier cercle de Jacob von Austerand, roi d'Elbie, qui serait sans doute furieux d'apprendre que son fidèle bras droit fantasmait sans vergogne sur la sœur de son épouse, la reine Allison. Alors qu'il était sensé se concentrer sur sa mission. Enfin... Qu'y pouvait-il ?

Tiens, les lumières étaient en train de s'éteindre, une à une..., remarqua-t-il. Cela faisait déjà deux heures qu'il surveillait la demeure. A présent, il aurait donc pu s'en approcher sans risque, à la faveur de l'obscurité. Pourtant il ne bougea pas et, dissimulé derrière les vitres teintées de l'étincelante Mercedes noire, il continua de pianoter nerveusement sur le volant de cuir.

Les yeux fixés sur la façade, il suivait du regard les ombres mouvantes derrière les fenêtres. *Elle*... Se trouvait-elle dans le salon ou dans sa chambre, maintenant ? Il ne se souvenait pas du plan exact de la maison de Nanticoke, localité au charme désuet qui lui rappelait étrangement Chichester, la ville côtière d'Angleterre où il avait vu le jour.

Bon... Devait-il patienter encore un peu?

Inutile de se chercher des prétextes, il savait pertinemment qu'il essayait de gagner du temps. Allez, dehors! Et jurant entre ses dents, il sortit avec brusquerie de sa voiture, puis ferma sans bruit la portière derrière lui.

Ce n'était pas qu'il n'avait pas envie de voir Diane, songea-t-il en traversant la rue. Il pensait souvent à cette belle jeune femme brune, depuis un an. En fait, depuis deux jours, autant dire qu'elle le hantait même constamment. L'image de son ravissant visage ne le quittait pas, ne cessant de le troubler... et d'autres parties fascinantes de son anatomie se dessinaient sous ses paupières closes, quand il se laissait aller à rêver. Et puis, en plus d'être belle, Diane Fields était une femme intelligente, plus solide que sa sœur Allison. Capable de tenir tête au roi pour défendre les intérêts d'Allison avant que Jacob ne l'épouse. Vraiment, elle ne manquait pas de cran.

Mais, apparemment, elle avait des problèmes en ce moment.

Premier conseiller et officier de sécurité, Thomas Smythe avait été chargé de se renseigner à ce sujet. Et ce n'était sûrement pas sans raison sérieuse. Il s'agissait d'ailleurs d'une mission extrêmement discrète, d'une enquête qui réclamait beaucoup de doigté.

Thomas s'approcha du bungalow, une autre lumière s'éteignit à l'intérieur. Il prit une profonde inspiration : c'était le moment de traverser bravement la pelouse, et de se présenter par la porte de derrière. Question de logistique. Commencer par réveiller les enfants en sonnant à la porte d'entrée eût été la pire des introductions...

Il avait aussi une autre raison de se montrer prudent : le mari. La camionnette de Gary n'était pas là quand Thomas s'était garé de l'autre côté de la rue. Et bien qu'il fût presque 9 heures, l'homme n'était toujours pas rentré. Impossible de prévoir à quel moment il risquait de surgir...

Thomas se présenta devant la porte de la cuisine.

Prenant le taureau par les cornes, il frappa.

Puis, il attendit, bras croisés. Il portait encore le costume dans lequel il avait voyagé, coupé sur mesure par un couturier italien. Plus jeune, il ne s'était jamais préoccupé de ses tenues vestimentaires mais, désormais, travailler pour Jacob imposait une certaine image.

Il prêta l'oreille : un froissement venait de se faire entendre derrière la porte. Comme si Diane enfilait précipitamment un peignoir... ou cherchait une arme avant d'ouvrir sa porte à un étranger ? Bon. Cela prouvait au moins que Gary n'était pas là.

Tant mieux. Gary Fields était particulièrement sournois et antipathique. Et puis, attiré comme il l'était par Diane Fields, Thomas ne *pouvait* pas trouver son mari sympathique, quand bien même l'aurait-il été.

Le voilage blanc qui masquait la fenêtre de la porte se souleva imperceptiblement. Un visage inquiet apparut un instant, puis le rideau retomba. Mais la porte ne s'ouvrit pas.

Thomas s'éclaircit la gorge.

— Diane, lança-t-il, c'est Thomas Smythe, le conseiller du roi. Ouvrez. Il est important que je vous voie.

Formule magique ! Il entendit aussitôt le claquement du verrou et la porte s'ouvrit. Diane apparut alors dans une flaque de lumière, sa jolie silhouette se découpant sur le mur du fond de sa cuisine peinte en jaune soleil.

Elle resserra vivement autour d'elle le peignoir qui glissait de son épaule et attendit. Thomas mit ces quelques secondes à profit pour se délecter : comme il l'aimait ainsi, avec les cheveux humides, comme si elle sortait de la douche, ses yeux verts incertains, et ce parfum de chèvrefeuille qui flottait jusqu'à lui...

Elle sourit pour masquer sa surprise.

— Thomas... Je ne vous ai pas reconnu, à travers la vitre. Que faites-vous ici ? Il y a un problème ? Allison et les enfants vont bien, j'espère ? Et Jacob ?

Sans doute aurait-elle continué la liste des questions si Thomas n'avait pénétré d'autorité dans la cuisine, réduisant la jeune femme au silence. Normalement, pour cela, il avait en sa faveur son impressionnante stature qui écrasait la petite pièce, et il se savait intimidant, ne répugnant pas à s'en servir dans certaines circonstances. Après tout, il était responsable de la sécurité de Jacob depuis de nombreuses années et maintenant, il était aussi chargé de veiller sur toute la famille royale. Cela requérait de lui du charisme.

Dans le cas présent, toutefois, son physique imposant n'allait pas le servir. Il le sentait. Cela risquait même de le handicaper. Alors, il s'efforça de se faire aussi petit que possible et, arborant un grand sourire, il déploya le charme qu'il réservait habituellement aux dignitaires en visite, en particulier aux séduisantes jeunes femmes.

— Pardonnez-moi d'arriver à l'improviste, Diane, déclara-t-il d'un ton aussi doux que le lui permettait sa voix de baryton. Je suis en mission aux Etats-Unis, pour Jacob, et j'espérais que vous ne verriez pas d'inconvénient à ce que je vous rende une petite visite.

Mensonge. Mais elle s'y laissa prendre, et lui sourit avec naturel, comme si elle avait l'habitude de voir des gens débarquer chez elle à des heures indues « pour une petite visite ».

— Vous avez rasé votre barbe, dit-elle.

— Ça me change tant que cela ?

— Je vous l'ai dit : je ne vous ai pas reconnu tout de suite à travers la vitre. Vous ressemblez à James Bond, maintenant...

Thomas faillit se rengorger. Il n'allait jamais au cinéma, mais le fait de se voir comparé à un personnage qu'elle semblait admirer ne lui déplut certes pas.

— ... Bien que vous fassiez une bonne tête de plus que 007, ajouta-t-elle avec malice.

Il sourit.

— Les enfants sont couchés ?

— Oui, soupira-t-elle. Dommage... Ils auraient été ravis de vous revoir. Tommy vous aime énormément. Peut-être parce que vous avez le même nom, tous les deux. Il a beaucoup grandi. Vous seriez surpris de sa taille, pour un enfant de sept ans.

Bien qu'elle bavardât d'un ton léger, évoquant avec fierté ses trois rejetons — Tommy, sept ans, Annie, six ans, et Gary junior, cinq ans — il la sentait tendue. Elle parlait un peu nerveusement, arrangeait inutilement la salière et la poivrière sur la table, redressait le torchon pendu à la poignée du four. En outre, les petits plis qui marquaient délicatement ses jolis yeux et sa belle bouche trahissaient son anxiété.

Comme le regard de Thomas s'attardait sur ces lèvres sensuelles qu'il aimait tant, elle recula machinalement d'un pas, comme pour mettre une certaine distance entre eux.

— Vous avez le temps de boire un café ? A moins que vous ne préfériez du thé ?

— Du café sera parfait.

Elle se détourna et commença à s'affairer autour de la cafetière, alla chercher le lait dans le réfrigérateur et sortit ses plus belles tasses.

— Puis-je vous aider à... ?

— Non, non, coupa-t-elle en posant le sucrier et le pot à lait sur la table. Asseyez-vous plutôt. Et donnez-moi des nouvelles de toute la famille.

Elle balaya vivement les boucles brunes encore humides qui lui tombaient dans les yeux. Et soudain, elle lui parut très fatiguée, comme si elle ne tenait debout que par la seule force de sa volonté.

— L'été doit être si beau, en Elbie, enchaîna-t-elle, les yeux fixés sur le café qui s'écoulait lentement dans le pichet de verre.

— Vous n'y êtes jamais allée, n'est-ce pas ? demanda-t-il.

Elle rit.

— Non. Ni en Europe. Vous rendez-vous compte du prix du voyage... Non, bien sûr. Toutes vos dépenses relèvent du budget royal, n'est-ce pas ?

— La plupart, admit-il.

— Ce doit être beau, murmura-t-elle comme pour elle-même. Un monde si différent, si lointain... un pays de rêve...

La machine à café donna ses dernières gouttes dont l'arôme embaumait la cuisine, et Diane s'arracha à sa rêverie exotique pour servir le café. Puis elle se laissa tomber lourdement sur une chaise.

Les yeux fixés sur elle, Thomas porta sa tasse à ses lèvres. Le café était léger comparé au breuvage qu'il aimait. En d'autres circonstances, il l'aurait refusé — ou bien il aurait montré comment faire un café bien fort, à son goût. Mais, chassant cette pensée, il regarda Diane mettre deux sucres dans son café, ainsi qu'une généreuse rasade de lait. Avant de se dire qu'il était temps de revenir à sa mission.

— Vous avez l'air en forme, remarqua-t-il lentement, bien qu'une simple observation démentisse ces propos.

— Oh, je vais très bien ! répliqua-t-elle avec une gaieté qui parut un peu forcée.

Comment en venir au fait ? Thomas toussota.

— Je... Enfin, nous nous demandions...

Elle leva vers lui un regard soupçonneux.

— Alors, c'est ça, balbutia-t-elle, visiblement blessée.

Il s'en voulut d'avoir manqué de tact.

— Ecoutez, Diane...

— C'est ça... Il ne s'agit pas d'une visite, bien sûr. Vous êtes bel et bien là pour m'espionner, déclara-t-elle avec un humour caustique.

— Je suis désolé de m'ingérer dans votre vie privée, mais Jacob et Allison s'inquiètent pour vous et les enfants. Ils ont reçu plusieurs appels de Floride : vos parents semblent savoir que vous avez des problèmes, mais ils ne veulent pas leur dire de quoi il retourne.

Le regard de Diane s'adoucit. Elle posa sa tasse un peu brusquement, renversant du café sur la table.

— Ils ne peuvent rien y faire. Je ne tiens donc pas à les inquiéter inutilement.

— Je vois.

Elle lui adressa un regard chargé de tristesse. Il avait dû se passer quelque chose de sérieux.

Posant sa tasse sur la table, il enveloppa la main de Diane dans les siennes.

— Si c'est si grave, madame Fields, la famille royale doit être mise au courant.

— Ce n'est rien que je ne puisse... c'est juste que...

Les mots s'étranglèrent dans sa gorge et elle détourna ses yeux pleins de larmes.

Allait-elle se mettre à pleurer ? Jamais il n'aurait cru cela possible. Diane la battante. Diane la tigresse quand il fallait repousser la presse juste après le mariage de sa sœur, lorsque aucun membre de la famille ne pouvait s'aventurer nulle part sans être pourchassé par une meute de paparazzi ! Il l'avait même vue de ses yeux chasser à coups de balai un journaliste et un photographe qui tentaient d'interroger ses enfants dans le jardin de leur maison !

Et voilà que cette force de la nature semblait au bord de la dépression. Il se sentait totalement impuissant.

— Diane, laissez-les vous aider.

Elle se ressaisit et se leva pour lui faire face.

— Je suis juste fatiguée. Les journées sont longues, ici. Il faut que j'aille me coucher.

— Dites-moi ce qui s'est passé.

Il s'était levé à son tour et elle lui arrivait à peine à l'épaule. Elle leva vers lui un regard fier.

— Partez, je vous en prie.

— Vous ne quitterez pas cette pièce, et je ne partirai pas de cette maison tant que vous ne m'aurez pas dit ce qui se passe.

— Pourquoi y attachez-vous de l'importance ? demanda-t-elle d'un air soupçonneux. Vous craignez le scandale, c'est ça ? Si les médias apprennent que la belle-sœur du roi d'Elbie a perdu son mari et ne peut pas payer sa facture d'électricité, ils s'en donneront à cœur joie, n'est-ce pas ?

Le cœur de Thomas manqua un battement. C'était donc cela.

— Gary... vous a quittée ?

— Parti !... Il s'est enfui avec une gamine de son

14

bureau... Bon débarras, articula-t-elle d'un air désinvolte qui ne trompait personne.

— Oh, je suis tellement désolé, bredouilla-t-il, ne sachant que dire.

— Eh bien, pas moi, rétorqua-t-elle d'une voix fêlée. Je le sentais venir depuis longtemps. J'aurais dû insister il y a des années... mais je n'ai rien fait... je ne savais pas comment...

Et comme si ses dernières forces l'abandonnaient, elle se détourna dans un sanglot et fonça vers la porte. D'un pas, Thomas lui barra le chemin et elle buta tête baissée contre sa large poitrine. Ses grands bras l'enveloppèrent, l'immobilisèrent. Elle se débattit à peine une seconde avant de s'abandonner mollement contre lui.

Personne ne dit plus mot. Et maintenant que Thomas tenait dans ses bras son corps tremblant, il ne savait plus que faire.

Elle ne le repoussait pas, ne résistait pas. Elle ne demandait même pas des paroles de réconfort. Elle semblait juste satisfaite de se trouver là.

A cet instant, il prit conscience avec gêne que son propre corps réagissait de façon pour le moins embarrassante.

Fermant les yeux, il s'obligea à se rappeler à ses devoirs : il était chargé de protéger la famille de Jacob, de la défendre et de l'honorer. Le désir, les élans du corps, n'entraient pas en ligne de compte. Il ne devait pas considérer Diane comme une belle jeune femme douce et surmenée, avide du réconfort de bras masculins ; il devait oublier ses émois et ses hormones, au moins pendant une heure, découvrir ce qu'il voulait savoir, réparer au mieux ce qui pouvait l'être... *et fiche le camp d'ici* !

Si tout allait bien, il pouvait être à bord de l'avion royal en route pour l'Europe dans quelques heures.

Mais, pour l'instant, une femme pleurait dans ses bras, ruinant probablement son plus beau costume. Un costume qui lui avait coûté plus cher que la semaine qu'il venait de passer sur la Riviera avec une exquise et sensuelle actrice française...

Diane ne parlait toujours pas, ne bougeait toujours pas. Mais il savait qu'elle pleurait.

— Madame Fields, murmura-t-il, je suis doué pour arranger les choses. Laissez-moi vous aider.

Pétrifiée, elle respirait à peine, tendue comme une corde d'arc.

— M'aider ? souffla-t-elle d'une voix rauque, et elle leva vers lui des yeux empreints d'une infinie tristesse. Ne soyez pas ridicule. Il ne s'agit pas de diplomatie, ni de sauver Jacob d'une meute de paparazzi déchaînés.

— Je m'en rends compte. Néanmoins, il y a peut-être un moyen d'arranger les choses entre votre mari et vous.

— Non, dit-elle en s'arrachant à ses bras pour arpenter la pièce. Je sais que signer ces papiers était la seule chose à faire, mais je ne supporte pas la pensée que mes enfants puissent en souffrir...

Il fronça les sourcils d'un air inquiet.

— Quels papiers ?

Parlait-elle des papiers de séparation ? Ou était-elle déjà divorcée ? Il ne pouvait rentrer en Elbie sans avoir de précisions à donner à Jacob. En outre, il voulait savoir. Pour lui.

— Où se trouve M. Fields en ce moment ?

Il avait posé la question avec désinvolture, mais les muscles de ses bras étaient tendus, comme s'il se préparait à se colleter avec l'homme qui avait brisé le cœur de cette stupéfiante jeune femme.

— Je l'ignore, et je ne peux pas dire que je m'en soucie, répondit-elle avec un pâle sourire.

16

Il la fixait, hésitant à poursuivre. La voir souffrir ainsi le bouleversait, sans qu'il comprît pourquoi. Au fil des années, il s'était endurci au malheur des autres. Il réservait sa sympathie aux membres de la famille royale et au cercle fermé de leurs proches. Les von Austerand étaient devenus sa famille.

Après tout, ses propres parents l'avaient abandonné, chacun à sa manière. Il avait à peine cinq ans quand sa mère avait quitté le domicile conjugal, laissant son père, le comte de Sussex, seul avec trois fils. A six ans, Thomas avait été envoyé en pension par son aristocrate de père. Qui s'était soucié de lui, alors ?

Donc, les problèmes des étrangers ne l'intéressaient pas. Et bien qu'apparentée à Jacob par alliance, Diane était bien une étrangère. Pourtant, il se sentait sincèrement touché par la douleur qu'elle éprouvait à se voir rejetée par le père de ses enfants.

— Je suis navré, dit-il doucement. C'est un imbécile de vous avoir quittée.

Elle secoua imperceptiblement la tête.

— Si c'est la question matérielle qui vous inquiète, il y a des moyens de retrouver un père en fuite et de le contraindre à assumer ses responsabilités. C'est la loi dans ce pays.

— Je sais. Mais je préfère me débrouiller seule. Et puis, il y a les enfants, les pauvres : Gary ne serait pas parti s'il les aimait. Comment leur expliquer cela ?

Thomas tressaillit. Sa mère ne les avait-elle donc pas aimés, ses frères et lui, lorsqu'elle avait quitté le comte de Sussex ?

Diane resserra la ceinture de son peignoir autour de sa taille fine, dissimulant à sa vue les douces rondeurs de ses seins laiteux dont il détournait difficilement les yeux.

— Je suppose que vous avez raison : s'il aimait ses enfants, il ne serait pas parti, grommela-t-il, frustré de se voir privé du charmant spectacle.

Diane lui jeta un regard irrité.

— Et vous, vous n'avez nullement l'intention de partir, si j'ai bien compris...

— Pas tant que je n'aurai rien de plus substantiel à dire à Jacob.

Pivotant sur elle-même, elle fonça dans le salon. Il la trouva en train de fouiller dans une pile de courrier éparpillé sur la table basse, parmi les crayons de couleur, la pâte à modeler et les dinosaures miniatures.

Elle sortit une longue enveloppe blanche qu'elle lui tendit avec brusquerie.

— Tenez. Tout est là. Lisez et transmettez ce que vous voudrez à ma famille.

Les pans de son peignoir soyeux s'ouvrirent de nouveau sur sa gorge blanche.

Il mourait d'envie de l'embrasser. Là. Dans la douce vallée entre ses beaux seins.

Mais elle lui tendait l'enveloppe avec impatience.

Se rappelant pour la centième fois à ses devoirs, Thomas s'en saisit et en sortit une liasse de documents.

— C'est un jugement de divorce, légalement signé, daté et certifié conforme.

Il leva les yeux vers elle, mais elle s'était ressaisie pendant qu'il parcourait les feuillets et son beau visage ne trahissait aucune émotion.

— Vous avez accepté la garde exclusive des enfants et libéré votre époux de toute responsabilité financière ? remarqua-t-il sans comprendre. Mais pourquoi, Diane ? Vous a-t-il contrainte à signer un arrangement si défavorable à votre sécurité et à votre confort ?

— Non. C'est moi qui ai déposé la demande de divorce et fait établir ces documents.

18

— Et votre avocat n'a pas...

— Il m'a déconseillé de dégager Gary de ses obligations envers les enfants. Il a dit que je pouvais légitimement exiger un soutien financier ainsi que de substantiels dommages et intérêts pour le préjudice moral que m'a fait subir son abandon.

— Mais vous avez ignoré ses conseils.

Elle le regarda droit dans les yeux.

— Je ne veux plus rien avoir à faire avec Gary Fields. Les enfants et moi sommes beaucoup mieux sans lui.

— Sans doute. Néanmoins...

— Pas un mot de plus, coupa-t-elle. C'est réglé. A présent, il ne me reste plus qu'à trouver comment subsister grâce à mon orgueil... car ce n'est sûrement pas l'argent qui entre dans cette maison qui me le permettra.

Elle se mit à arpenter le salon.

— Ecoutez, Thomas, je n'essayais pas de cacher la vérité à Allison et Jacob, ni à mes parents. Ni d'embarrasser quiconque. Mais je ne voulais pas qu'ils s'inquiètent, vous comprenez? J'avais décidé d'attendre que toute cette histoire soit réglée. Je n'ai su qu'hier au courrier que Gary avait signé les papiers.

— Mais il l'a fait.

— Sans hésiter, dit-elle avec un rire sec. Il ne m'a jamais aimée. Pas vraiment. Je ne suis pas sûre de savoir moi-même ce qu'est l'amour. J'ai été une bonne épouse pour lui mais, maintenant, c'est fini. Et j'en suis ravie, sincèrement. Nous n'étions heureux ni l'un ni l'autre.

— Je vois.

Pourtant, il ne comprenait pas pourquoi elle ne s'était pas battue pour obtenir ce qui lui revenait de droit. Elle ne pouvait décemment pas subvenir aux besoins de trois enfants avec ce qu'elle gagnait comme nourrice à domicile.

Elle leva vers lui ses yeux verts sous ses épais cils noirs.

— Désolée de m'être ainsi épanchée devant vous. Après tout, vous n'êtes que le messager.

Du bout des doigts, elle caressait sa gorge d'un geste machinal, écartant encore plus les pans de son peignoir. Fasciné, il suivait ses gestes. Aurait-il aimé qu'elle arrête, ou qu'elle continue? Il ne savait pas. Tout ce qu'il voyait, c'est qu'il avait suffisamment de préoccupations entre le mari volage et les papiers du divorce pour ne pas, en plus, s'encombrer l'esprit d'une imagination débordante qui lui faisait sentir les longs doigts délicats de Diane Fields glissant sur son torse nu, son ventre, son...

— Nous n'avions plus de relations intimes depuis longtemps, continua-t-elle, plus pour elle-même que pour lui. Le sexe n'avait pas une grande importance pour Gary.

Ah non? Personnellement, Thomas avait du mal à concevoir qu'on pût vivre avec Diane sans être intime avec elle.

— La plupart des hommes mariés sont intéressés par le sexe, quoi qu'ils en disent, répondit-il. Pour ne plus penser à rien.

— Un exutoire, mmm, commenta-t-elle en se mordillant la lèvre d'un air songeur. Est-ce donc tout ce que nous autres femmes sommes pour les hommes?

Il faillit tendre la main et la poser sur l'épaule de Diane en un geste de réconfort, mais jugea plus sage de s'abstenir.

— Pas pour tous les hommes, non, affirma-t-il.

20

Il refoula un vague sentiment de culpabilité en pensant aux femmes que lui-même avait utilisées par le passé. Quand il faisait l'amour, il ne pensait plus à rien, il se reposait de ses devoirs, de ses obligations, de ses responsabilités... Et puis, ces femmes aussi s'étaient servies de lui, intéressées qu'elles étaient par son argent, ses cadeaux, son amitié pour le roi d'Elbie et ses relations à la Cour. Echange de bons procédés, en somme.

— Je voulais juste dire, reprit-il pourtant, que Gary ne vous arrivait pas à la cheville. Il ne vous méritait pas.

Elle lui jeta un regard étrange, comme si elle hésitait à prendre le compliment au sérieux. Elle avait cessé de se soucier des caprices de son peignoir d'où émergeait maintenant une gracieuse épaule dénudée à la peau douce et crémeuse.

Pour Thomas, cela devenait intolérable. Il avait chaud... Il tourna la tête vers la fenêtre et regarda distraitement la Mercedes garée dans l'ombre, entre deux réverbères. Puis il inspira profondément pour recouvrer son sang-froid et se rappela une énième fois — avec plus de sévérité — que la seule raison de sa présence ici était diplomatique et fixée par Jacob... Son adorable et attirante belle-sœur ne devait pas le perturber.

— Je vais devoir relater à votre sœur et au roi ce que j'ai appris ce soir, déclara-t-il d'une voix redevenue neutre.

Elle ne répondit pas tout de suite.

— Bien sûr... Mais avant votre retour en Elbie, j'aurai appelé Allison pour lui parler. Je me rends compte qu'ils ont besoin de savoir, vous savez. J'appellerai également mes parents.

— Les enfants...

Elle l'interrompit net.

— Gary n'a jamais passé beaucoup de temps avec eux. Il leur manque, évidemment, mais son absence ne change pas grand-chose à leur quotidien. Nous serons gênés financièrement pendant quelque temps, mais je trouverai une solution, dit-elle, confiante.

— Vous en êtes sûre ?

Elle lui adressa un sourire éblouissant.

— Bien entendu. Je suis une optimiste, Thomas. Je fais confiance à la vie. Si vous me connaissiez mieux, vous le sauriez.

Hochant la tête, il décida de faire une ultime tentative.

— J'ai toute autorité pour vous remettre un chèque en blanc...

— Je m'en doutais un peu. Remerciez Jacob pour moi, mais je refuse. Nous nous débrouillerons.

Il ne pouvait rien imposer. Ni enquêter davantage. Il avait appris l'essentiel : le fin mot de l'histoire, et l'offre d'une assistance. Puisque Diane Fields déclinait cette assistance...

Bon, il n'avait plus de raison de s'attarder. En téléphonant au pilote à l'aéroport John Fitzgerald Kennedy, il pourrait être de retour en Elbie vers midi, le lendemain.

— Votre décision est ferme ? demanda-t-il tout de même.

Il lui prit la main en un geste qui se voulait amical, réconfortant.

— Oui, murmura Diane.

C'est alors qu'elle fit une chose terrible pour Thomas.

Elle fit un pas vers lui et, se hissant sur la pointe des pieds, elle déposa un doux baiser sur sa joue. Un baiser léger comme une plume d'une femme qui trouvait moyen de se montrer gracieuse et bienveillante dans le malheur qui la frappait.

— Merci d'être venu, Thomas, souffla-t-elle.

Comme elle s'écartait, son sein lui effleura involontairement le bras.


Thomas regagna sa voiture dans un état second.

Il maudissait les traîtrises de son corps. Un petit baiser, un frôlement accidentel, une épaule dénudée... et hop ! ses hormones dansaient la sarabande !

Résultat : il ne pouvait plus rentrer en Elbie ce soir.

# 2.

Diane envoya ses trois têtes blondes jouer dehors pour pouvoir souffler un peu. Tommy, qui tenait son prénom de son grand-père maternel, aujourd'hui retraité des transports, était le chef de la bande et régnait sur tous les gamins du quartier. Sans contester son autorité, sa sœur Annie, plus rusée, arrivait cependant à lui faire faire ce qu'elle voulait.

Gary junior était le bébé de l'équipe et tout le monde l'adorait. Il idolâtrait son grand frère, collectionnait les Pokemons sous toutes leurs formes et, inconditionnel du nappage au chocolat, il en aurait ajouté sur tout ce qu'il mangeait — y compris la purée de pommes de terre — si sa mère n'y avait mis bon ordre.

Dans l'ensemble, ils s'entendaient bien, et Diane en aurait volontiers eu trois autres du même acabit. Elle adorait tellement les enfants qu'elle en gardait à domicile, ce qui lui permettait de rester auprès de sa progéniture tout en arrondissant ses fins de mois.

Souvent elle se plaisait à imaginer qu'elle avait de l'argent et qu'elle emmenait ses petits faire de merveilleux voyages autour du monde. Ils traversaient des pays exotiques, découvraient des nourritures nouvelles, d'autres cultures, s'initiaient à la musique, au langage de contrées inconnues, apprenaient à connaître des gens différents...

Des rêves. De beaux rêves d'adolescence qu'elle nourrissait depuis ses années d'études de relations internationales et de sociologie à l'université. Des rêves impossibles.

Diane s'appuya au chambranle de la porte et ferma les yeux un moment, s'isolant temporairement de la réalité. C'était si tentant de rester ainsi, coupée de tout... des factures en retard, de la solitude, de la certitude que ses rêves ne se réaliseraient jamais.

Malgré son affection pour Thomas, elle lui avait menti, la veille. Elle n'avait pas la moindre idée de la façon dont elle allait pouvoir joindre les deux bouts. Pas encore. Il lui fallait trouver une solution.

Quand elle ouvrit les yeux, Tommy aidait son petit frère à monter sur la balançoire et Annie glissait sur le toboggan dans une envolée de jupon. Le soleil de juin était tiède, le temps clément. Les enfants pourraient profiter du jardin pendant une bonne heure. En outre, on était samedi, jour où Diane ne gardait aucun enfant à domicile. C'était le moment ou jamais de faire le point sur sa situation.

Quarante-cinq minutes plus tard, elle était assise à la table de la cuisine, son chéquier ouvert devant elle. Elle avait rédigé les chèques couvrant les factures les plus urgentes et il ne lui restait pratiquement plus rien sur son compte bancaire. Dans deux semaines, elle toucherait son salaire mais, sans les revenus de Gary, elle allait avoir du mal à s'en sortir.

Thomas avait raison. Elle avait été trop fière pour demander à Gary de l'aider. Mais elle ne le supplierait pas maintenant. Il fallait trouver autre chose.

Bien sûr, elle pouvait demander un prêt à ses parents.

Ou reconsidérer l'offre de chèque en blanc de Jacob. Mais dans un cas comme dans l'autre, la solution ne serait que temporaire, et elle devrait de l'argent à sa famille... « Allons, fais preuve d'imagination », s'ordonna-t-elle. Puis elle se leva, s'étira, et traversa la cuisine pour détendre ses membres ankylosés.

Il lui fallut arpenter la cuisine pendant une dizaine de minutes avant que la réponse à son problème ne s'impose à elle comme une évidence : elle n'avait d'autre choix que de dénicher un emploi mieux rémunéré que celui de garde à domicile.

Cela signifiait qu'elle ne pourrait plus travailler chez elle, et qu'il lui faudrait laisser ses enfants à quelqu'un d'autre en dehors des heures d'école. Elle ne serait pas la première mère à s'y résoudre, alors pourquoi pas ?

Parce qu'elle aurait l'impression de trahir la promesse tacite qu'elle avait faite à ses petits à leur naissance, se répondit-elle à elle-même. Et elle se rassit à la table avec un sentiment de désespoir.

Quelques instants plus tard, on tambourina à la porte de la cuisine. Arrachée à ses pensées, elle se retourna avec un sursaut et vit Thomas Smythe pénétrer dans la pièce. Quelle surprise... Immédiatement, sa présence éveilla en elle le trouble délicieux qu'elle avait ressenti à leur première rencontre... et à chacune de leurs entrevues depuis lors.

— Je vous croyais reparti pour l'Elbie, dit-elle en se levant.

Il haussa ses larges épaules.

— J'avais encore quelques affaires à régler avant de partir, répondit-il avec la pointe d'accent anglais dont il n'avait jamais réussi à se déprendre.

Il posa sur la table un sac en papier qui portait le logo d'une boulangerie.

— De quel genre, ces affaires ? demanda-t-elle en sortant du sac un énorme scone aux raisins.

A en juger par la précipitation avec laquelle il avait quitté sa maison la veille au soir, c'étaient sûrement des affaires très importantes, songea-t-elle.

Eh non...

— Des détails, affirma-t-il. Comme m'assurer que vous avez assez d'argent pour subvenir à vos besoins les prochains mois.

Elle réprima un sourire, amusée par son insistance. D'un autre côté, l'ingérence de Jacob dans sa vie privée ne laissait pas de l'agacer.

— Mais vous ne pouvez rien faire si je ne veux pas de votre aide, n'est-ce pas ? commenta-t-elle en mordant dans son scone. A moins de transférer beaucoup de cash sur mes comptes bancaires, ce qui est impossible puisque vous ne connaissez ni le nom de ma banque, ni mes numéros de compte...

Elle faillit s'étouffer en voyant un éclair malicieux traverser les yeux de Thomas.

— Si ? Vous n'oseriez pas... vous n'avez pas fait ça !

Il se contenta de la regarder. Il ne souriait pas vraiment mais, de toute évidence, il avait beaucoup de mal à conserver son masque impassible.

— Allez au diable, Thomas ! Et Jacob avec vous. Car je me doute que son nom a dû délier les langues et ouvrir les portes comme un sésame...

Elle jeta son scone entamé sur la table avec irritation.

Ah, les hommes ! Quel droit avaient-ils de diriger sa vie ? Elle était parfaitement capable de régler ses problèmes toute seule ! Les prochains mois ne seraient sûrement pas faciles, c'est vrai, mais elle aurait trouvé un moyen de s'en sortir, elle le savait.

— C'est pour votre bien, expliqua-t-il gravement. Dans l'intérêt des enfants.

— Eh bien, vous pouvez dire à Jacob que ses intrusions dans ma vie privée me déplaisent fortement ! s'exclama-t-elle. Je n'ai pas besoin qu'on me fasse la charité.

— Vous risquez de perdre votre maison, de vous retrouver à la rue, remarqua-t-il calmement.

— C'est ce que nous verrons ! rétorqua-t-elle, les yeux étincelants de fureur.

— Si vous ne voulez pas accepter cet argent en cadeau, au moins considérez-le comme un prêt.

Elle le foudroya du regard, mais déjà sa colère s'estompait. Au fond, elle avait toujours bien aimé Thomas. Il ne semblait jamais penser à lui-même et se consacrait à sa fonction. Toujours à l'œuvre, il apportait à Jacob des documents, veillait à ce qu'il soit ponctuel à ses rendez-vous, le conduisait ici ou là, le protégeait des intrus. Il semblait au service du roi vingt-quatre heures sur vingt-quatre. Et maintenant, il assurait aussi la protection de sa femme, de son fils et de sa fille. Il était parfois un peu effrayant avec sa haute taille et sa voix de stentor, mais jamais Diane n'avait connu homme plus honorable et plus dévoué.

Il poursuivit tranquillement, ses yeux sombres fixés sur elle :

— Vous devez vous montrer raisonnable, Diane. Si vous ne pensez pas à vous, songez à vos enfants...

Elle se sentait un peu stupide de refuser tout cet argent. Étourdie, elle réagit en enfant confronté à la logique des adultes et, se bouchant les oreilles, elle entonna de tout son cœur l'hymne national américain pour ne pas entendre l'argumentation de Thomas.

Elle n'avait pas fini le premier couplet que, le souffle coupé, elle fut propulsée contre le comptoir de la cuisine, saisie aux épaules, et embrassée ardemment sur la bouche.

Elle se débattit exactement deux secondes, puis s'abandonna mollement contre lui. Etait-il possible que les hommes embrassent ainsi? songea-t-elle, prise de vertige, oubliant tout ce qui n'était pas ce baiser. Il avait des lèvres chaudes et sensuelles. Il ne l'embrassait pas, il la dévorait. La rugosité de son menton mal rasé ne faisait qu'ajouter du piquant à ce brûlant échange. Ses grandes mains ne lâchèrent ses épaules que pour s'enfouir dans ses cheveux ébouriffés et prendre son visage en étau afin de mieux savourer ses lèvres.

C'était si bon qu'elle crut en mourir.

Quand, enfin, Thomas consentit à abandonner sa bouche, ce fut pour nicher le visage ardent de Diane contre sa chemise. Il respirait bruyamment, et elle sentait sa poitrine se soulever sous sa joue, au rythme des battements sourds de son cœur.

— Est-ce censé satisfaire mon banquier? Ou seulement vous? demanda-t-elle d'une voix rauque.

— Nous deux. Vous et moi.

— Hum.

Elle s'efforça de recouvrer ses esprits. Par la fenêtre, elle apercevait Tommy, Annie et Gary qui jouaient dans le bac à sable avec deux petits voisins.

— C'est vous qui avez commencé, dit Thomas.

— Quoi?

Elle voulut s'écarter mais il refusa de la lâcher.

— Moi? Je me suis contentée de vous dire que je ne voulais pas de l'argent de Jacob!

— Je parle d'hier soir. Vous m'avez embrassé.

— Mais... ce n'était qu'une innocente bise sur la joue! protesta-t-elle faiblement. Juste un geste de remerciement.

— C'était plus que ça, insista-t-il avec une assurance exaspérante.

30

— Non.

Un silence ponctua cette réplique, puis Thomas soupira et la lâcha.

— Je n'ai jamais rencontré une femme aussi agaçante de toute ma vie.

— Je prends cela pour un compliment, répliqua-t-elle avec un grand sourire, affectant une suffisance qu'elle était loin d'éprouver.

— C'en est peut-être un, murmura-t-il, son regard intense fixé sur elle. Peut-être... Diane.

Il lui prit le menton et elle ne s'écarta pas quand son doigt caressa doucement sa mâchoire avant d'effleurer ses lèvres.

— Jacob vous a-t-il chargé de m'offrir un réconfort physique en plus d'une consolation financière? s'enquit-elle.

Un court instant, il parut blessé. Puis son expression se durcit et il recula avec raideur.

— J'avais pour instructions de découvrir vos problèmes et de vous proposer mon aide si cela semblait prudent.

— Prudent, répéta-t-elle avec un rire sec. Je ne crois pas que Jacob jugerait *prudent* ce que nous venons de faire, surtout dans sa position de playboy repenti...

Thomas s'éclaircit la gorge, de plus en plus mal à l'aise.

— Mmm, je suis sûr que non, madame Fields.

Elle haussa les épaules.

— Voyons... les formules protocolaires sont un peu déplacées après un tel baiser, vous ne trouvez pas?

Curieusement, elle se sentait plus forte et en pleine possession de ses facultés mentales, après les avances de Thomas. Cet effet inattendu ne manquait pas de l'étonner. Peut-être le fugitif goût du plaisir avait-il libéré des énergies refoulées qui l'empêchaient d'analyser efficacement la situation. En tout cas, ce bref intermède lui avait rappelé que, dans certaines circonstances, la passion pouvait aisément s'immiscer dans les rapports entre hommes et femmes.

Gary avait-il jamais manifesté un désir aussi ardent dans leurs baisers ? Elle ne s'en souvenait pas. Et plus elle y pensait, plus elle était certaine que non. Une chose était sûre, jamais son corps n'avait réagi comme il l'avait fait quand Thomas l'avait embrassée.

— Je... excusez-moi, je... j'ai dépassé les bornes, grommela-t-il, évitant son regard. C'était tout à fait déplacé.

— Oui. Absolument.

Il carra les épaules, passa la langue sur ses lèvres et parut se décider à rencontrer son regard.

— Je n'ai jamais forcé une femme. Je ne serais pas allé plus loin que ce baiser. Je ne vous aurais même pas embrassée si vous étiez encore mariée. Je vous en prie, pardonnez-moi si je vous ai mise dans l'embarras.

— Je vous pardonne, Thomas, dit-elle, consciente que le moindre de ses propos avait le pouvoir de la troubler étrangement. Je suppose que ce stupide baiser de remerciement a pu vous induire en erreur. J'ai du mal à cerner les sentiments des autres ces temps-ci. J'ai encore tant de questions à résoudre, même si Gary est parti depuis plus de six mois.

— Tant que ça ? commenta-t-il, surpris.

— En fait, il me semble que cela fait encore plus longtemps. Il faut dire que, depuis deux ans, on ne le voyait plus beaucoup.

— Je suis désolé. Sincèrement.

Elle ne pouvait se départir de la curieuse impression qu'il avait envie de la toucher, sans trop comprendre pourquoi. Allison lui avait parlé du goût de Thomas pour les belles femmes sophistiquées, catégorie dans laquelle elle n'entrait assurément pas.

Néanmoins, elle contourna la table de la cuisine pour se placer derrière et s'en faire un rempart. Elle crut voir une ombre passer dans son regard. Elle se demanda si elle ne l'avait pas froissé sans le vouloir.

— Je vous dois des excuses, Thomas, dit-elle. Je me rends compte que j'ai été très sèche avec vous. Mais il n'est pas dans ma nature d'accepter l'aide de quiconque. J'ai toujours su me débrouiller seule.

— N'est-ce pas ce que votre sœur essayait de faire en gardant son bébé pour elle seule ?

Diane s'en souvenait comme si c'était hier. Elle sourit.

— A l'époque, il semblait hautement improbable que le père de son enfant revienne dans sa vie. Qui aurait pu deviner que l'étudiant pour lequel elle avait le béguin était un prince habitant un vrai palais royal, avec tout un pays à ses pieds ?

Thomas se détendit insensiblement.

— Au début, j'ai cru que Jacob n'était qu'un riche enfant gâté qui avait besoin d'un garde du corps pendant ses études dans une école anglaise, loin de sa famille.

— Il y a donc si longtemps que vous travaillez pour lui ?

— Oui, répondit-il, et il tira une chaise et lui fit signe de s'asseoir.

Elle obéit, puis ramassa le scone qu'elle avait abandonné et mordit dedans pendant qu'il remplissait leurs tasses de café.

— Je venais de quitter l'armée britannique après avoir servi à l'étranger. Je voulais rester à Londres quelque temps, me dénicher un emploi décent...

Il lui adressa un clin d'œil coquin.

— Avoir quelques aventures amoureuses pendant que j'y étais... des objectifs très simples, en fait.

— Simples, mais respectables pour un jeune homme, commenta-t-elle non sans une pointe de sarcasme.

— Eh bien, je ne les ai pas réalisés. Au lieu de cela, j'ai hérité d'un jeune type qui semblait passer son temps à se créer des ennuis. La première fois que j'ai vu Jacob, il était en train de se faire tabasser par une bande de dockers. Je suis intervenu pour égaliser les chances, et nous avons réussi à quitter le pub en vie.

Il hocha la tête, absorbé par ses souvenirs.

— Il était étudiant à l'académie Crenworth et avait encore plusieurs années d'études à faire aux Etats-Unis. Son avenir était tout tracé, élaboré dans les moindres détails par sa famille. Le fait de ne pouvoir décider lui-même de sa vie le mettait hors de lui.

Elle acquiesça.

— Je comprends.

— Pour résumer une histoire compliquée, je dirai que Jacob s'est attaché à moi, continua Thomas. J'ignore pourquoi. Peut-être parce que je ne lui rappelais pas constamment qui il était, et pour cause, puisque je ne le savais pas vraiment... Mais il n'a pas fallu longtemps pour qu'un chancelier grincheux me mette au courant de la situation, ajouta-t-il en souriant. Je vous laisse imaginer ma surprise. J'avais affaire à un prince du sang. A un héritier royal qui se préparait à monter sur le trône d'un des petits pays les plus riches d'Europe, l'Elbie. Et voilà que je l'entraînais dans les bars, voire dans les bagarres, avant de le ramener chez lui, soûl comme un Polonais ! J'étais sous le choc. J'ai présenté mes excuses au fonctionnaire royal en lui

34

affirmant que jamais je n'avais voulu nuire à Jacob. Seulement, je l'aimais bien, sincèrement. Et je me suis senti vraiment désolé pour lui.

Diane sourit, amusée par cette histoire.

— Et que s'est-il passé ? s'enquit-elle tandis que Thomas avalait goulûment un premier scone avant de fondre sur un deuxième.

— J'ai promis au vieil homme de disparaître de la vie de Jacob. Mais il m'a répondu avec son accent allemand à couper au couteau : *Fous continuerez à aller partout avec Jacob. Tant que fous fifrez et tant qu'il fifra, fous ne le quitterez pas des yeux. Le roi fous payera bien pour protécher son fils.*

L'imitation arracha à Diane un éclat de rire irrésistible. Jamais Allison ne lui avait raconté cette anecdote. Elle ne put toutefois s'empêcher de remarquer que Thomas ne parlait que très peu de sa vie avant sa rencontre avec Jacob, et elle se promit de l'interroger plus tard. Elle était curieuse d'en savoir plus sur lui.

Elle termina son gâteau et s'adossa à sa chaise pour se lécher les doigts pendant que Thomas en enfournait un troisième. Ils dégustèrent une autre tasse de café dans un silence agréable. Mais pour une raison qui lui échappait, elle avait le sentiment que Thomas n'était pas aussi serein qu'il en avait l'air.

Enfin, il leva la tête et la regarda.

— Quoi ? demanda-t-elle. Vous ne voulez plus jouer les messieurs-bons-offices, j'espère ?

— Comment ?

— Bah, ne faites pas attention, dit-elle.

De la cour lui parvenaient les bruits familiers et rassurants des enfants en train de jouer.

Accoudé à la table, Thomas l'observa par-dessus ses grandes mains croisées.

— Apprendre à accepter de l'aide quand elle est nécessaire à sa survie est une importante leçon de vie, énonça-t-il solennellement.

Elle avait l'impression que son regard la transperçait tout entière, comme pour atteindre son cœur. Elle leva les yeux au ciel et soupira.

— Je vois. Vous êtes en train de me dire que Jacob compte m'assister, que je le veuille ou non.

— C'est exact, répondit-il.

Il tendit la main pour écarter une mèche blonde qui lui tombait dans les yeux et la coincer derrière son oreille.

— Cela vous permettra de souffler pendant quelques mois. Vous avez besoin de repos et de temps pour réfléchir à ce que vous voulez faire. Il ne s'agit pas seulement de votre vie, mais de l'avenir de vos enfants.

Les yeux de Diane s'emplirent de larmes. C'était le seul argument qui avait une chance de la faire céder. Le bien-être de ses enfants. Elle pouvait exiger qu'on la laisse tranquille, du moment que seule sa propre sécurité était en jeu. Mais elle ne pouvait pas prendre par orgueil des décisions susceptibles de nuire à ses petits.

Thomas hocha la tête, comme s'il suivait le cheminement de ses pensées.

— Bon. Vos problèmes financiers immédiats peuvent être réglés par un prêt à court terme de Jacob, dit-il calmement, levant la main pour réfuter l'objection qu'elle n'avait même plus la force de formuler. J'ai déjà déposé de l'argent sur votre compte-chèques. Et n'en faites pas un drame, s'empressa-t-il d'ajouter. Quelques milliers de dollars représentent si peu pour Sa Majesté. A peine une poignée de menue monnaie prise à Fort Knox.

Elle poussa un profond soupir. Si on considérait les choses sous cet angle, bien sûr, elle était probablement stupide d'en faire toute une histoire.

— Très bien. Mais il s'agit juste d'un prêt.

— D'accord, commenta-t-il, apparemment satisfait de l'issue des négociations. Passons à la suite... votre santé et votre bien-être affectif.

Elle eut un rire sec.

— Vous aurez peut-être du mal à le croire, mais l'argent ne peut rien pour réparer un cœur piétiné...

— Je m'en doute, dit-il, son regard compatissant s'attardant sur son visage, mais un voyage et des vacances le peuvent peut-être.

— Des vacances ?

— Je crois qu'il est temps que vous rendiez visite à votre sœur. Vous lui manquez beaucoup, vous savez. Une reine peut difficilement s'envoler au bout du monde chaque fois qu'elle a le mal du pays ou qu'elle veut voir sa famille.

Diane le regarda fixement.

— Partir pour l'Europe ? Eh bien, pour ce qui est de jeter l'argent par les fen...

Il posa la main sur la sienne et la chaleur de ses grands doigts lui imposa silence.

— Arrêtez de penser à l'argent. Je vous l'ai dit, ce n'est rien. Je croirais entendre votre sœur.

Elle ne put s'empêcher de sourire.

— Nos parents étaient très économes. Comme la plupart des habitants de Nouvelle-Angleterre. Désolée.

— Il n'y a pas de mal à être raisonnable. Mais il arrive que l'argent soit judicieusement dépensé.

Elle leva les yeux au ciel.

— J'ai l'impression que cette histoire va coûter à Jacob plus qu'une poignée de menue monnaie. Mais continuez.

— J'ai tout arrangé. Il ne vous reste qu'à... accepter, dit-il avec lenteur, comme s'il arrivait à un point crucial. Avant de venir vous voir ce matin, j'ai pris contact avec vos parents en Floride. Ils seraient ravis d'avoir leurs petits-enfants jusqu'à la fin de l'été. J'ai pris mes dispositions pour que le jet privé de Jacob nous emmène à Vienne demain soir. De là, son hélicoptère nous conduira en Elbie. J'ai pensé que vous auriez besoin d'une journée pour préparer vos bagages.

— Très généreux de votre part, commenta-t-elle d'un ton sarcastique.

Décidément, cet homme ne manquait pas de culot ! Comment osait-il prendre son existence en main comme s'il s'agissait d'une vulgaire mission diplomatique !

— Mais jamais je ne pourrai mettre mes enfants dans un avion et les regarder s'envoler seuls !

— On y a pensé. Allison m'a dit que vous utilisiez souvent les services d'une jeune baby-sitter nommée Elly Shapiro qui habite tout près d'ici. J'ai demandé à sa mère si elle pourrait s'occuper des enfants cet été. En échange, elle recevra un salaire généreux qui l'aidera à financer ses études.

— Et je ne doute pas qu'elle sera ravie de cette opportunité de passer trois mois en Floride, loin de ses frères et sœurs, ajouta Diane qui se rendait compte qu'il avait vraiment pensé à tout. Et que suis-je censée faire en Elbie pendant tout l'été ?

— Vous aurez tout le loisir de faire ce qui vous plaît... excepté travailler. Pas de responsabilités. Pas de gestion de compte, pas de cuisine, pas de ménage. Et tout le temps de profiter d'Allison, de votre nièce et de votre neveu, de visiter les pays d'Europe qui vous attirent, de faire du shopping dans les meilleures boutiques, de lire...

38

— De fréquenter les bons restaurants! coupa Diane, entrant dans le jeu malgré elle en dépit de ses réserves. Il paraît qu'on mange très bien en Europe... peut-être même en Elbie.

Les yeux de Thomas pétillèrent.

— C'est ce qu'on dit. Préparez-vous à prendre quelques kilos... et à les brûler, comme le fait Allison en incluant une heure de jogging dans son programme quotidien.

Diane devait admettre que tous ces projets semblaient merveilleux. Trop, peut-être?

L'existence n'était pas si facile, songea-t-elle tristement. La solution aux problèmes ne tombait pas du ciel sous forme de richesses et de palais royaux. Et pourtant... ne serait-elle pas stupide de refuser un coup de main de sa sœur et son beau-frère, juste le temps de souffler? Thomas avait raison, en un sens. Cet intermède pouvait lui permettre de réfléchir posément aux perspectives qui s'offraient à elle avant de décider de son avenir.

En outre, une part d'elle-même avait toujours rêvé de larguer les amarres, d'échapper à une existence trop réglée. De faire quelque chose totalement, en envoyant promener les convenances et les soucis d'économie. Elle avait appris à réprimer la passion qui pétillait en elle, n'attendant qu'une occasion de jaillir comme du champagne d'une bouteille. Avait-elle laissé Gary jouer le rôle du bouchon, bridant le flot de ses aspirations les plus secrètes? Et maintenant qu'il était parti... quelle destinée l'attendait? Une vie terne, sans intérêt? Ou une existence aventureuse qui ouvrait sur de nouveaux horizons?

— Je... je ne sais pas, murmura-t-elle en sentant les larmes lui monter aux yeux.

— Arrêtez de penser, grogna-t-il avec impatience. Contentez-vous de dire oui et laissez-moi régler les détails.

Sa main se referma sur la sienne, chaude et rassurante.

— Vous ne le regretterez pas. Je vous le promets.

Elle tremblait sans savoir pourquoi. Etait-ce la répugnance à se séparer de ses enfants pendant si longtemps ? Elle ne pensait pas. Elle savait qu'ils seraient en sécurité avec Elly, et très heureux avec leurs grands-parents.

Non, c'était autre chose. Quelque chose qui la terrifiait. Elle rencontra le regard intense de Thomas et réprima un frisson. Elle *voulait* qu'il l'embrasse encore. Elle *voulait* être écrasée dans ses bras massifs et se sentir de nouveau femme.

Etait-ce là ce qu'elle redoutait ? Qu'il fasse toutes ces choses et plus encore si elle le suivait ? Et puis l'été s'achèverait, et elle resterait avec ses souvenirs, retrouvant sa vie solitaire là où elle l'avait laissée...

— Dites oui, insista-t-il d'une voix si basse qu'elle eut du mal à saisir ses paroles.

Elle leva les yeux vers ce géant qui semblait occuper à lui seul une bonne moitié de sa petite cuisine. Dans son visage tendu, ses yeux d'obsidienne luisaient, durs dans leur détermination, les muscles de son cou crispés au-dessus de son col blanc. C'était un homme d'une force peu commune. Elle avait senti la musculature de sa poitrine et de ses bras quand il l'avait tenue. Une épaisse toison brune devait mousser sur son torse, délicieusement douce au toucher...

Mais quoi ! Qu'avait-elle à fantasmer sur le corps d'un homme au lieu de se concentrer sur son avenir !

Elle se redressa sur sa chaise. « C'est maintenant ou

jamais... maintenant ou jamais, lui susurrait une petite voix insistante. Saisis ta chance. Risque ton cœur. Pour une fois dans ta vie, choisis ce qui est bon ! »

— Très bien, articula-t-elle finalement. J'irai.

# 3.

Les préparatifs de départ des enfants se révélèrent une épreuve dont Thomas n'avait pas soupçonné l'ampleur, chacun ayant des idées très personnelles sur les vêtements qu'il trouvait *cool* et les jouets qu'il ne pouvait décemment pas laisser derrière lui. Au bout du compte, les trois valises prévues par Diane furent multipliées par deux, chaque rejeton tenant à emporter ses peluches, oreillers, doudous et autres jeux préférés en plus d'une garde-robe soigneusement choisie.

Elly se présenta le matin du départ, rouge d'excitation, sa queue-de-cheval se balançant au rythme de la musique diffusée par les écouteurs de son walkman. Pleine de vie, c'était aussi une jeune fille responsable et Diane lui faisait toute confiance.

— Ils vont épuiser mes parents, dit-elle en riant tandis que la petite équipe franchissait la porte d'embarquement avec de grands signes de la main.

— Sans doute, répondit Thomas.

Il n'avait guère l'expérience des enfants. Pour lui, c'étaient des créatures bizarres, bruyantes et souvent poisseuses, qui ne cessaient de s'immiscer dans le monde ordonné des adultes. On ne pouvait leur parler politique sans voir leurs yeux devenir vitreux. Il était impossible de se bagarrer avec eux comme on le faisait avec ses copains sur un terrain de football. On ne pouvait discuter ni sexe ni musique classique ni armes de gros calibre devant eux sans s'attirer les regards réprobateurs des autres adultes présents. En résumé, les enfants ne lui semblaient pas d'une grande utilité.

Pourtant, contre toute attente, Thomas s'était profondément attaché à la progéniture d'Allison et Jacob. Carl avait trois ans et, incapable de prononcer la deuxième syllabe de son prénom, il avait résolu le problème en l'appelant Toms. Quant à Kristina, ce n'était encore qu'un petit bébé gigoteur de six mois. Au début, elle avait terrifié Thomas, convaincu qu'il l'écraserait s'il s'aventurait à poser sur elle ses grandes mains maladroites. Mais un jour, Allison lui avait fourré le bébé dans les bras pour se lancer à la poursuite de Carl, et le géant et la miniature s'étaient retrouvés en tête à tête. S'observant mutuellement.

Et Thomas était instantanément tombé sous le charme de ce bout de chou aux yeux bleus.

Depuis, tous les prétextes lui étaient bons pour la tenir ou passer un moment à la nurserie, dans le parfum du talc et la douce odeur de bébé. Il était convaincu que la petite Kristina lui réservait un *ta-ta* spécial quand elle le voyait. Mais surtout, elle avait le pouvoir d'apaiser ses tourments quand, se regardant dans la glace, il voyait le visage de sa mère. Sa mère, qui l'avait abandonné. Il avait toujours été persuadé que leur ressemblance n'était pas que physique, et qu'il avait hérité d'elle une incapacité viscérale à s'attacher vraiment. Cependant, quand il tenait Kristina, il sentait confusément qu'il pouvait être doux, gentil, meilleur. Pendant quelques minutes, les doutes et l'atroce culpabilité s'effaçaient...

Mais sans doute les enfants royaux étaient-ils différents des autres. Les trois rejetons turbulents de Diane étaient pour lui des étrangers et le resteraient, selon toute vraisemblance. Il faisait juste le nécessaire pour aider la belle-sœur du roi à sortir du pétrin. C'était tout.

Non, pensa-t-il dans un brusque éclair de lucidité tandis qu'il traversait le terminal de l'aéroport en compagnie de Diane. Il y avait autre chose.

Il y avait cette folle attirance qui ne cessait de le tourmenter, lui donnant envie de la toucher, même à cet instant où ils fendaient la foule des voyageurs pressés. Il se rappelait leur baiser. Il brûlait de l'embrasser encore. La pensée de ses lèvres sur les siennes embrasa brusquement son corps, lui arrachant un gémissement involontaire.

— Ça ne va pas ? demanda placidement Diane.

Absorbée par la contemplation des luxueuses vitrines des boutiques de l'aéroport, elle avait les yeux brillants d'excitation, inconsciente des tourments qu'il subissait.

— Si, si, grommela-t-il.

— Dommage que nous n'ayons pas pu faire coïncider nos vols, remarqua-t-elle en s'arrêtant pour apprécier la douceur soyeuse d'un châle en cachemire. Nous aurions pu partir après avoir mis les enfants dans l'avion au lieu de devoir rentrer à Nanticoke.

— J'y avais pensé, mais un délai était nécessaire pour terminer les vérifications d'entretien du jet, et il fallait préparer un nouveau plan de vol. En outre, votre passeport ne vous sera délivré qu'en fin d'après-midi. On ne peut quand même pas attendre 7 heures à l'aéroport.

D'un autre côté, une seule heure en tête à tête avec Diane ne serait sûrement pas relaxante dans l'état de tension où il se trouvait...

Elle soupira.

— C'est aussi bien. J'ai encore du rangement à faire avant de fermer la maison pour l'été.

Le silence retomba tandis qu'ils se dirigeaient vers le parking.

Il aurait aimé savoir ce qu'elle pensait. Pouvait-elle deviner l'effet stupéfiant qu'avait sur lui le moindre de ses mouvements ? Le spectacle de l'harmonieux balancement de ses hanches le faisait transpirer abondamment sous sa chemise blanche. Le pli décidé de sa jolie bouche avait le pouvoir d'accélérer les battements de son cœur. Elle semblait mue par une énergie nouvelle aujourd'hui, et il connaissait bien des manières de l'aider à la dépenser.

Jusqu'à maintenant, la présence envahissante des enfants avait rendu impossible toute intimité entre eux. Laissant Diane s'occuper des bagages, il avait dû confirmer les billets des enfants et prendre ses dispositions pour qu'une voiture avec chauffeur les attende à leur arrivée à l'aéroport d'Orlando pour les conduire chez leurs grands-parents.

La veille au soir, Diane n'avait pas réussi à coucher ses trois rejetons avant 10 heures. Un moment délicat pour Thomas. Enfin, il se retrouvait en tête à tête avec elle. Jusqu'à cet instant, il ne s'était pas rendu compte combien il aspirait à l'avoir pour lui seul.

Mais avant qu'il ait pu décider du meilleur parti à tirer de la situation, Diane avait annoncé qu'elle était éreintée et qu'elle allait se coucher. Elle lui avait tendu un oreiller et une couverture en lui désignant le canapé. Déçu, il s'était étendu sur les coussins défoncés. Les minutes s'étaient écoulées. Il avait pensé à Diane couchée dans son lit dans la chambre voisine en tâchant d'ignorer les aspirations insistantes de son corps.

Impossible de trouver une position confortable sur ce sofa trop court pour sa grande carcasse. Il avait écouté le troublant bruissement des draps sous le poids de Diane, ses soupirs tandis qu'elle sombrait dans le sommeil... les battements précipités de son propre cœur dans sa poitrine. Il n'avait pas fermé l'œil de la nuit.

A présent, une maison vide les attendait, et il se demandait comment il allait pouvoir garder ses distances avec elle.

La circulation sur la I-95 était relativement dense pour un dimanche matin. Sans doute à cause de la saison. L'été, les vacanciers passaient leur temps sur la route pour gagner les plages. Quoi qu'il en soit, la distraction était la bienvenue, ne lui laissant guère le temps de s'appesantir sur ce qui l'attendait.

A peine eut-il arrêté la berline dans l'allée que Diane ouvrit la portière et fonça vers la maison au pas de course. Il la suivit en se demandant pourquoi elle était si pressée. Quand il passa la porte de la cuisine, elle était déjà au téléphone à présenter ses excuses à la mère d'un enfant qu'elle gardait et qu'elle n'avait pas pu joindre la veille.

Il attendit qu'elle ait donné à son interlocutrice les coordonnées de la nourrice qui la remplacerait en son absence.

— Elle vous reprochait de prendre des vacances ? s'enquit-il quand elle eut raccroché.

Elle sursauta comme si elle n'avait pas pris conscience de sa présence.

— Oh... non, pas vraiment. Mais c'est perturbant pour une maman de devoir changer de nourrice à la dernière minute. Et si elle est satisfaite de la personne que je lui ai recommandée, elle risque de la garder et de me lâcher à la rentrée.

— Vous aurez peut-être décidé de choisir un autre genre d'emploi d'ici là.

— Possible. J'y pense beaucoup en ce moment.

Il n'arrivait pas à détacher son regard de sa bouche expressive pendant qu'elle évoquait les carrières dont elle avait toujours rêvé... traductrice aux Nations unies, agent de liaison pour une mission diplomatique, membre d'une équipe de négociation affectée à un pays étranger. Il ne doutait pas de ses aptitudes. Mais comme elle manquait d'expérience, il craignait qu'il ne lui faille du temps pour gravir les échelons et accéder à ce genre de poste. Ses lèvres frémissaient d'émotion tandis qu'elle parlait, tour à tour fermes et déterminées, incertaines, tremblantes, puis vibrantes d'espoir. Elles étaient constamment en mouvement. Il brûlait de les immobiliser sous sa bouche. De les forcer à répondre à son baiser.

Elle rit.

— Vous n'écoutez rien de ce que je dis, n'est-ce pas ?

— Mmm ? Oh, si, si... mais je me demandais...

Il se demandait quel goût elle avait. Ses lèvres... la douce vallée entre ses seins... leurs pointes roses... ses cuisses dorées...

— Je me demandais pourquoi vous n'aviez jamais cherché un emploi à New York ou même à Hartford. Vous auriez beaucoup mieux gagné votre vie en travaillant pour une grosse société ou pour le gouvernement fédéral.

— Je ne voulais pas qu'une carrière me prenne tout mon temps et mon énergie. Les enfants comptaient plus pour moi.

Elle se détourna vivement comme pour mettre un terme à l'interrogatoire. Immobile, il la regarda quitter la pièce. Il entendit le bruit de ses pas traverser le salon, puis s'éloigner.

Les doigts de Thomas se crispèrent sur le dossier de la chaise. Il était tenté de la suivre dans sa chambre. Une impulsion absurde et parfaitement inopportune, il le savait. Dangereuse. très dangereuse.

« N'y pense même pas, Thomas », s'ordonna-t-il.

Mais à travers les murs minces, il l'entendait se mouvoir, fouiller dans une commode, jeter des affaires sur son lit en fredonnant doucement.

Il grinça des dents.

— Non. Non, tu n'approcheras pas cette femme !

Il compta jusqu'à dix. Il arrivait à cinq quand il fut interrompu par un bruit sourd immédiatement suivi d'un cri de douleur.

Il traversa le salon en courant et s'engouffra dans le couloir qui desservait les chambres.

— Diane, ça va ?

Le cœur battant, il s'immobilisa devant la première porte sur sa gauche d'où lui parvenaient des gémissements sourds. Il tourna la poignée et se rua dans la pièce.

Elle était assise par terre avec pour tout vêtement de la lingerie arachnéenne délicieusement provocante.

Il fallait qu'il ressorte, et vite ! Mais avant qu'il ait pu réagir, Diane ramassa un peignoir posé sur le lit et s'en enveloppa.

Malheureusement, cela n'effaça pas la troublante image qu'il avait eue sous les yeux. Il ferma les paupières sur l'exquise vision et se rappela alors la raison de sa présence.

— Vous vous êtes fait mal ? demanda-t-il d'une voix sourde.

— Non. Je flemmarde par terre à demi nue en me tenant le pied juste pour m'amuser...

Il s'obligea à détourner les yeux et un bref examen de la pièce lui apprit ce qui s'était passé. Une énorme valise en plastique dur gisait sur le sol, à moitié renversée.

— Vous avez fait tomber cette valise sur votre pied ?

Elle acquiesça, les yeux pleins de larmes.

— Vous auriez dû me demander de la déplacer si elle vous gênait.

— J'avais déjà commencé à me changer et...

Elle s'interrompit avec une grimace de douleur pour agripper son pied. La chair tendre de son cou-de-pied commençait à enfler.

— Ne bougez pas, je vais chercher de la glace.

Une minute plus tard, Thomas revenait avec un sac en plastique rempli de glaçons et un torchon propre. Elle s'était hissée sur le lit et avait enfilé son peignoir qu'elle avait sagement noué autour de sa taille. Son pied blessé reposait sur un oreiller.

Il s'immobilisa un court instant pour la contempler. C'était vraiment une femme hors du commun. Simple et pratique, elle avait un mode de vie modeste, mais derrière les apparences se cachaient une beauté et une intelligence dignes de rivaliser avec les personnalités les plus brillantes de la haute société. A cet instant, il la désira comme il n'avait jamais désiré aucune femme.

— Je ferais probablement mieux de glisser tout mon pied dans un seau d'eau glacée, dit-elle.

Elle leva vers lui son beau visage émouvant dont la vulnérabilité lui serra le cœur.

— Non, ce sera plus efficace ainsi.

Il s'assit sur le lit et plaça doucement son pied meurtri sur le torchon plié avant de le poser sur sa propre cuisse. Prenant un cube de glace, il le passa délicatement sur l'enflure en décrivant de petits cercles.

— Dites-moi si c'est trop froid ou si ça vous fait mal.

Elle hocha la tête.

Le massage fit merveille pour réduire l'inflammation. Au bout d'une dizaine de minutes, Thomas s'arrêta pour examiner la peau tendre et palper délicatement le pied lésé.

— Il ne semble pas y avoir de fracture. Et je ne crois pas qu'il y ait foulure puisqu'il n'y a pas eu de torsion. Mais le poids du bagage suffisait pour vous contusionner méchamment. Pouvez-vous vous tenir debout?

Il la regarda. Ses yeux étaient comme de l'or liquide piqueté de paillettes d'émeraude.

— Je crois, murmura-t-elle d'une voix rauque en baissant le regard vers les grandes mains qui enveloppaient son pied.

Des mèches châtain foncé balayaient son visage rosi par l'émotion.

Jusque-là, il avait pu concentrer ses pensées sur les soins qu'il lui administrait. Mais soudain, il lui fut impossible d'ignorer le courant électrique qui passait entre eux. Il sentit une brûlure aiguë dans son bas-ventre quand leurs yeux se soudèrent. Il avait déjà vu ce regard chez d'autres femmes. Il ne pouvait signifier qu'une chose.

Il n'était pas homme à se dérober mais, cette fois, c'était différent. Quel que fût son désir de répondre à l'invitation tacite de ces beaux yeux, il n'osait pas y céder. Les conséquences pouvaient être désastreuses.

Alors, il s'empressa d'enlever de sa cuisse le pied de la jeune femme, et se leva.

— Voyons si vous pouvez marcher, grommela-t-il. Dans le cas contraire, il faudra vous faire examiner par un médecin.

Diane le fixa d'un air désolé. Toute vie sembla quitter son visage. Le rose déserta ses joues, lui donnant l'aspect pâle et fragile d'une délicate porcelaine. Mais, avec une grâce tranquille, elle se leva et posa son pied par terre avec précaution.

— Je crois que ça va, murmura-t-elle.

— Bon. Portez des chaussures confortables pendant quelques jours. Pas de talons aiguilles pour Mme Fields.

Il grimaça malicieusement pour lui arracher un sourire et alléger la tension ambiante, mais n'obtint d'elle qu'un regard glacial.

— Vous trouvez ça drôle ? s'enquit-elle soudain avec colère.

Il en resta abasourdi. Qu'avait-il dit de si terrible ? Un moment plus tôt, elle gémissait de douleur. Puis elle lui avait clairement laissé entendre qu'elle était toute disposée à le remercier en nature pour ses bons soins. Et voilà maintenant qu'elle serrait les poings, prête à lui arracher les yeux !

— Qu'est-ce que j...

— Je ne suis pas votre genre de femme, est-ce là le message que vous essayez de me faire passer, Thomas ? Vous n'arrivez pas à imaginer Diane Fields en fourreau moulant, talons aiguilles et pendants d'oreilles en diamant, c'est ça ?

Elle clopina vers lui, les yeux lançant des éclairs menaçants.

— Pourquoi m'avez-vous embrassée hier ? De toute évidence, je ne vous attire pas. Ce baiser était-il inspiré par la pitié ? Jacob vous avait-il ordonné de me distraire de mes ennuis ?

Elle lui tourna le dos, mais il eut le temps de voir son regard peiné.

— Non ! protesta-t-il. Je voulais seulement...

Il fit un pas hésitant dans sa direction, mais elle l'arrêta d'un geste sans même prendre la peine de se retourner.

— Peu importe, coupa-t-elle. Je comprends. Comment une mère de famille nombreuse sans le sou et s'habillant chez Prisunic pourrait-elle intéresser un célibataire raffiné comme vous ? Ces temps-ci, je me demande ce qu'un homme peut bien voir en moi, ajouta-t-elle dans un murmure à peine audible. Je ne suis même plus attirante...

Bouleversé, il la regarda fixement, frappé de stupeur. Comment cette femme dont la seule présence avait le pouvoir de déchaîner ses sens pouvait-elle se croire laide ?

— Ce n'est pas ça, dit-il, impassible.

Il ne pouvait pas lui expliquer les multiples raisons qui l'obligeaient à garder ses distances — et qui n'avaient rien à voir avec son physique, son charme, sa douceur. Même à cet instant, il était fasciné par les reflets qui dansaient dans ses beaux cheveux châtains, la posture obstinée de ses fines épaules, la rondeur généreuse de ses hanches sous son peignoir. Il eût été si facile de lui arracher ce ridicule vêtement, dérisoire rempart entre lui et les plaisirs de son joli corps. Non, une explication franche était impossible.

Il fit appel à toute sa diplomatie.

— En tant qu'émissaire et ami du roi, j'essaie simplement de faire mon travail et d'aider votre famille. Jamais je n'ai voulu vous contrarier.

Elle se retourna d'un bond et la souffrance qui consumait son regard lui serra douloureusement le cœur.

— Partez. Laissez-moi seule, chuchota-t-elle d'une voix rauque. Je veux me reposer, avant le vol. Ces deux derniers jours ont été éprouvants.

— Bien sûr, acquiesça-t-il.

Il pensait encore à ces paroles en refermant la porte de la chambre derrière lui. Deux jours éprouvants, oui. Et la nuit qui s'annonçait promettait de l'être encore plus, puisqu'ils allaient la passer ensemble, confinés dans la cabine intime du jet privé, sans autre compagnie pendant les huit heures de vol que leurs désirs insatisfaits.

Alors Thomas décida que c'était le moment ou jamais de prendre une douche froide. Une longue douche froide.

A 6 heures, ils étaient en route pour l'aéroport. Diane avait dormi d'un sommeil agité pendant presque deux heures, puis elle était restée dans sa chambre, peu désireuse d'affronter Thomas tant qu'elle ne contrôlerait pas ses émotions. Elle ne s'était même pas risquée dans la cuisine pour se préparer une tasse de thé. Un moment, elle avait entendu Thomas s'agiter autour de la cuisinière et une odeur de saucisses grillées était venue titiller ses narines — les saucisses, c'était tout ce qui restait de comestible dans la maison. Mais quand il avait frappé à sa porte pour l'inviter à se restaurer, elle n'avait pas répondu, et il n'avait pas insisté.

Depuis, ils n'avaient pas échangé un mot.

Elle n'en voulait plus à Thomas, mais son dédain la blessait profondément. Elle avait honte de s'être emportée contre lui. Qu'est-ce qui lui avait pris ? En un sens, elle était responsable de cette scène embarrassante car elle l'avait mis dans une position délicate. Certes, elle ne s'était pas exactement offerte à lui, mais le langage de son corps avait été explicite.

Pendant qu'il massait son pied avec les glaçons qui fondaient lentement sur le torchon, elle avait senti une étrange langueur envahir son corps. Il avait des mains fortes, chaudes, rassurantes. Des mains d'amant. Nul besoin d'imagination pour se les représenter en train de remonter lentement le long de sa jambe, soulever l'ourlet de son peignoir, glisser sur sa cuisse... la caresser.

Le corps en feu, elle allait soupirer de frustration quand il s'était brusquement levé et l'avait toisée avec son impassibilité typiquement britannique. Ses yeux luisaient froidement, totalement dénués de la passion qu'elle avait cru y voir un moment plus tôt, quand il avait fait irruption dans sa chambre. En plus, il s'était servi de sa mission pour la maison royale comme prétexte pour garder ses distances. Une manière habile de s'en sortir...

Diane s'efforçait de chasser ces pensées troublantes tandis que, longeant l'aéroport, Thomas gagnait la zone réservée à l'aviation privée. A l'entrée, un garde en uniforme fit signe à la Mercedes de passer, et Thomas alla se garer sur le tarmac, entre un hangar et un bel avion argenté frappé aux armes de la monarchie d'Elbie. La carlingue et l'asphalte étaient embrasés par les rayons obliques du soleil couchant, et Diane eut l'impression que la terre entière se consumait... et elle avec.

Dès que la voiture fut arrêtée, Thomas en descendit précipitamment et vint lui ouvrir la portière. Il lui prit le bras et l'entraîna vers l'appareil. Elle avait le pied encore meurtri mais pouvait marcher sans trop de mal. Un fonctionnaire des douanes les attendait. Il jeta à leurs bagages un coup d'œil rapide et tamponna le nouveau passeport de la jeune femme.

Dans l'avion, Thomas lui présenta brièvement le

pilote et le copilote, puis il lui désigna son siège, un canapé de cuir souple assez grand pour loger trois personnes. Sans enthousiasme, elle l'écouta lui proposer un verre mais déclina son offre d'un signe de tête.

Il se montrait gentil avec elle, seulement elle souffrait qu'il l'ait repoussée. Pourtant, bien des hommes auraient réagi comme lui dans la même situation. Il lui fallait l'admettre : elle n'était pas assez attirante pour justifier une entorse au règlement. Mon Dieu... Jamais elle ne s'était sentie si humiliée, si seule, si mal aimée.

Comme le jet s'envolait dans le rugissement de ses réacteurs, elle tourna la tête vers le hublot et contempla le ciel strié de rose. L'appareil ne tarda pas à prendre sa vitesse de croisière. Diane décida de profiter du vol pour tenter d'oublier ses malheurs en pensant à ses retrouvailles imminentes avec sa sœur et ses neveux. Si elle arrivait à se concentrer sur les choses heureuses de sa vie, tout irait bien, non ? Et les hommes pouvaient aller au diable !

Elle jeta un coup d'œil furtif à Thomas, assis de l'autre côté de l'allée centrale. Il pianotait férocement sur le clavier d'un ordinateur portable, les sourcils froncés. Il y mettait tant de hargne qu'elle éprouva quelques craintes pour le délicat matériel. Elle ressentit néanmoins une satisfaction perverse de voir que lui aussi était contrarié, même si elle ignorait pourquoi. Après tout, c'était lui qui avait fixé les règles. Et si elles se retournaient contre lui, tant mieux !

Pendant la première heure, elle fit semblant de lire le livre de poche qu'elle avait apporté. Mais, très vite, elle prit conscience des regards que Thomas lui jetait à la dérobée, regards qui ne tardèrent pas à se prolonger. Finalement, elle ferma son livre et se tourna vers lui.

— Qu'est-ce qu'il y a ? demanda-t-elle.

Il la scruta gravement.

— Pardonnez-moi, dit-il avec raideur. J'ai heurté vos sentiments.

Elle releva le menton avec dignité.

— Je m'en remettrai.

— Je voudrais me racheter. Dites-moi ce que je dois faire. Je vous en prie.

Elle éclata de rire. Ce fut plus fort qu'elle.

— Je me rends compte que je manque de glamour, mais j'avais espéré que, pour une fois...

Elle s'interrompit, les yeux fixés sur la cloison à demi fermée qui séparait la luxueuse cabine du cockpit. Par la porte entrouverte, elle apercevait le dos du commandant et les cadrans lumineux du poste de pilotage.

Thomas écarta son ordinateur, détacha sa ceinture et se leva pour aller fermer la porte de communication. Au lieu de retourner à son siège, il s'installa à côté de Diane et se pencha si près qu'elle sentit son souffle effleurer sa joue.

— Continuez, ils ne peuvent plus nous entendre.

Elle ignorait pourquoi elle éprouvait le besoin de se confier à cet Anglais. Une nécessité impérieuse la poussait à se libérer de ce qu'elle gardait enfermé au fond de son cœur depuis si longtemps. Jamais elle n'avait avoué son secret le plus intime, pas même à sa sœur. Et jamais, au grand jamais, elle ne le révélerait à un homme ! Mais peut-être pouvait-elle en dévoiler une part infime, histoire d'apaiser un peu sa solitude.

— Ça paraît affreux, dit-elle lentement. Je ne suis pas ce genre de femme. Mais je suppose que je recherchais... hum, une aventure d'une nuit.

Il parut perplexe.

— Pourquoi ? Pour vous venger de votre mari qui vous a quittée ?

Elle secoua la tête avec véhémence.

— Non ! s'écria-t-elle. Non. Je... je suppose que je voulais juste découvrir ce qu'est la passion, la *vraie* passion, sans contrainte sentimentale, inspirée par la seule attraction de deux désirs qui se reconnaissent et s'acceptent... même si cela ne dure que quelques heures.

Il la dévisagea de ses yeux sombres, presque noirs.

— Votre mari est un fichu imbécile, grommela-t-il de sa voix de basse. Il suffit de vous regarder pour voir que vous êtes plus femme que tout ce qui porte jupon.

Elle crut que son cœur s'arrêtait de battre et dut faire un effort pour reprendre son souffle. Elle le scruta, les sourcils froncés, déroutée par ce compliment inattendu. Se moquait-il d'elle ?

— C'est vous qui parlez ainsi, Thomas ? Ou cela vient-il d'une nouvelle directive de Jacob ?

Avant qu'elle ait pu prévoir sa réaction, il lui saisit le bras et la secoua sans ménagement.

— Regardez-moi, Diane ! tonna-t-il d'un ton dur. Ai-je l'air d'un homme qui suit aveuglément les ordres ? Surtout quand on aborde le terrain de la vie privée ?

Elle étudia ses traits tourmentés, secouée par ce brusque changement d'attitude. Un feu inquiétant consumait son regard et elle ne put réprimer un frisson de peur.

— Non, balbutia-t-elle. Non, je ne crois pas que les désirs de Jacob vous préoccupent en ce moment...

— Vous avez fichtrement raison, grinça-t-il. Si je n'avais pas craint de trahir sa confiance, je jure que je vous aurais renversée sur ce lit si vite que...

— Vous... vous voulez dire que je vous fais de l'effet ? s'étonna-t-elle, oubliant sa peur.

Elle avait l'impression de s'éveiller d'un songe, incapable de faire la différence entre les dernières traces de rêve et le monde réel qui émergeait lentement.

— Si vous me faites de l'effet ? s'étonna-t-il. Bon sang, vous me rendez fou de désir ! Et ça ne date pas d'aujourd'hui !

Elle posa la main sur sa bouche pour lui imposer silence, riant malgré son embarras.

— Chut ! souffla-t-elle avec un signe de tête en direction du cockpit.

Il baisa ses doigts fins et les garda dans sa main. Son regard parcourut la somptueuse cabine lambrissée d'acajou avant de rencontrer de nouveau les yeux de Diane.

— Depuis le premier jour de notre rencontre, je n'ai cessé d'être obsédé par votre corps. Ça vous choque ?

Elle secoua vivement la tête.

— Enfin... peut-être un peu.

— Je m'imaginais vous emmener loin, quelque part où nous serions seuls, tous les deux. Sur le yacht de Jacob... une île, le château que j'ai acheté il y a deux ans en Suisse... qu'importe l'endroit. Et vous pouvez me croire sur parole, quand je pensais à vous, c'était à la femme... avec honte et frustration, parce que vous étiez mariée et mère de famille. Je n'avais pas le droit de poser la main sur vous !

Il fallut un moment à Diane pour digérer cette délicieuse confession. Il avait si bien caché cette attirance, jamais elle n'aurait deviné ce qu'il éprouvait.

— Quand vous... quand vous m'avez embrassée hier... j'ai cru que c'était par pitié.

Il leva les yeux au ciel.

— Je vous ai embrassée parce que je n'avais pas la force de résister, articula-t-il lentement, comme s'il était essentiel qu'elle comprenne.

En dépit de son calme apparent, elle sentait en lui une tension presque insoutenable qui irradiait dans la main qui tenait la sienne.

Il soutint son regard.

— J'ai eu beaucoup de mal à me limiter à ce baiser. J'avais envie de vous faire l'amour, tout simplement.

Le cœur battant, elle passa sa langue sur ses lèvres sèches. Aucun homme ne lui avait jamais parlé ainsi. Alors, elle finit par trouver le courage de lui dire ce qui lui brûlait les lèvres.

— La prochaine fois... ne vous arrêtez pas en si bon chemin. Faites-moi l'amour.

Il déglutit.

— Vous n'avez pas idée de ce que vous me demandez, Diane...

Il laissa échapper un long soupir. Pour la première fois depuis qu'il s'était assis près d'elle, il laissa son regard glisser sur le doux renflement de ses seins, sous sa tunique de coton. Sa main s'approcha et effleura les rondeurs interdites.

— Et si Jacob l'apprend? souffla-t-il en traçant une arabesque sur les seins de Diane. Ou si je couche avec vous et que vous le regrettez ensuite?

— Je ne lui dirai rien, et jamais je ne regretterai d'avoir fait l'amour avec vous.

Mais savait-elle vraiment ce qu'elle éprouverait après s'être donnée à un homme qu'elle connaissait à peine?

— Et si vous êtes déçue?

Elle gloussa. Etait-ce bien *lui* qui s'inquiétait de la décevoir, *elle*?

— Je vous aurais cru plus sûr de vous dans ce domaine.

Il secoua la tête.

— Vous êtes différente des femmes que j'ai connues. En beaucoup mieux, s'empressa-t-il de préciser, et sa main se posa tendrement sur la joue de sa compagne. Elles avaient l'habitude de jouer à des jeux intimes avec les hommes sans s'abandonner vraiment. De faire l'amour sans amour, sans âme. Aucune de mes maîtresses ne m'a jamais donné d'elle-même. Et moi non plus, du reste, je n'ai pas fait d'efforts.

— Et moi, selon vous, je ne pourrais pas me donner à un homme sans tomber amoureuse de lui ? dit-elle avec hésitation.

Il écarta une mèche sombre qui lui tombait dans les yeux.

— En effet, c'est ainsi que je vois les choses. Que je *vous* vois, Diane. Et je ne veux pas me trouver en position de vous faire souffrir.

— Je ne suis pas comme vous l'imaginez, protesta-t-elle avec plus de conviction qu'elle n'en éprouvait vraiment.

— Allons, vous ne voulez pas d'une aventure passagère. Vous avez besoin d'un homme à vos côtés. Au fond, Diane, comme toute femme bien... vous attendez de lui un véritable engagement.

Les joues brûlantes d'indignation, elle le foudroya du regard.

— De quel droit décidez-vous de ce que je veux ? demanda-t-elle avec amertume.

— Vous êtes trop convenable pour...

— ... Pour coucher avec un homme et m'offrir du plaisir ? coupa-t-elle avec humeur. Est-ce ce que vous voulez dire ? Je suis trop « bien » pour avoir une liaison torride ? N'ai-je pas droit à un peu de bonheur au lit après huit ans d'un mariage à un homme qui ne m'a jamais...

Elle porta la main à sa bouche, horrifiée par l'aveu qui avait failli franchir ses lèvres. Un secret si humiliant qu'elle s'était juré de l'emporter dans la tombe.

Thomas l'étudia un long moment tandis qu'elle s'agitait sur son siège, mal à l'aise, évitant soigneusement son regard perçant.

— Votre mari ne vous a jamais satisfaite ? demanda-t-il avec diplomatie.

— Je... je ne sais pas, balbutia-t-elle avec un regard affolé au noir ciel nocturne à travers le hublot.

— Si vous aviez été comblée, ma chère Diane, vous le sauriez.

Seigneur, comment pourrait-elle le regarder de nouveau dans les yeux ? Il devait la prendre pour la dernière des oies blanches ! La pire des idiotes. Et pourtant, qu'y pouvait-elle ? Elle savait d'expérience qu'on pouvait, comme elle, passer par toutes les étapes de l'amour physique — si belles et excitantes dans les romans — sans ressentir autre chose que... de la frustration. Non, elle n'avait pas connu la volupté avec Gary. Pas de jouissance. Pas de passion. C'était ainsi et elle ne cherchait pas à nier qu'elle rêvait d'une vraie révélation.

Thomas toussota.

— Pardonnez mon manque de tact. Mais je trouve sacrément dommage qu'une jolie femme, sensuelle, n'ait jamais connu l'extase.

Elle haussa les épaules.

— Autrement dit, reprit-il, aucun homme n'a su faire l'amour à Diane Fields comme elle en a envie.

Il lui saisit le menton et l'obligea à lui faire face.

— Adorable Diane, qui vous dit que je saurai vous montrer le meilleur de ce qui peut arriver entre un homme et une femme ? Vous apporter le plus grand des plaisirs ?

Il se leva et lui sourit tendrement, tenté par l'idée de l'initier à la jouissance.

— Mon instinct me le dit, répondit Diane. Mais votre loyauté envers Jacob vous interdit de me toucher ?

— C'est exact.

Sentant qu'il allait regagner son siège, elle lui prit les mains et l'attira à elle. Et là, sans lui laisser le temps de recouvrer son équilibre, elle noua les bras autour de son cou et se pressa impudiquement contre lui. Renversant la tête, elle entrouvrit les lèvres et sentit un long frisson le parcourir quand il s'empara de sa bouche avec une avidité fiévreuse. Voilà, il craquait !

Alors elle s'écarta et esquissa un sourire satisfait.

Adossée au siège de cuir, elle ferma les yeux pour mieux savourer les délicieuses sensations qui la parcouraient.

— Je voulais juste vous montrer ce que vous manquiez, vous aussi, en me repoussant, murmura-t-elle. Et, pour ma part, je me moque « royalement » de ce que peut penser Jacob...

# 4.

Debout devant la fenêtre de la grande chambre qu'on lui avait attribuée, Diane contemplait le parc du château avec ses allées soigneusement entretenues et ses luxuriants massifs de fleurs. Partout les roses poussaient en abondance dans une orgie de couleurs, grimpant le long des murs, envahissant les pergolas, enveloppant d'un écrin de verdure le banc de pierre où un homme sombre était assis, absorbé par de mystérieuses pensées.

Diane sourit. Parfait. Ce baiser dans l'avion avait donné à Thomas Smythe de quoi réfléchir.

Ce n'était pas qu'elle voulait se montrer cruelle. Elle aimait bien Thomas. Vraiment. Mais son refus de céder à la tentation l'exaspérait.

Avec un soupir, elle se laissa tomber sur la banquette dans l'encoignure de la fenêtre. Longtemps, la sensualité et l'érotisme lui étaient restés étrangers. Trop occupée à élever sa progéniture et à gérer sa maison et ses gardes d'enfants, elle n'avait pas de temps pour ce genre de chose. Du reste, Gary préférait passer ses loisirs au bar local.

Comme un piano désaccordé faute de soins, elle avait fini par perdre contact avec le monde de l'amour. Les amoureux des séries télévisées, les amants éperdus du cinéma, les romances passionnées des livres, tout cela la laissait froide. Elle n'arrivait pas à s'identifier à ces héroïnes qui dévoraient intensément la vie et aimaient à la folie. Les gens se comportaient-ils ainsi dans la réalité, mêlant leurs corps nus en gémissant de plaisir ? Les hommes et les femmes avaient-ils vraiment cette faim insatiable les uns des autres ? Etaient-ils capables de traverser des rivières en crue, d'escalader des montagnes, de défier le destin, juste pour être ensemble ?

Elle avait cessé de croire en l'existence d'un tel amour. Jusqu'à ce qu'Allison et Jacob soient réunis, presque trois ans après que sa sœur avait mis au monde l'enfant du prince. Le désir ardent qu'elle avait vu dans leurs yeux l'avait laissée sans voix. Pour la première fois de sa vie, elle avait envié sa sœur. Oh, elle ne convoitait pas Jacob. Mais comme Allison, elle aspirait à se sentir femme au plus profond d'elle-même.

Une sensation inconnue pour elle.

Et puis elle avait rencontré Thomas...

Et, du même coup, connu les premières morsures du désir. Là, elle avait compris *pourquoi* les femmes recherchaient tant la compagnie des hommes.

Diane frissonna en sentant une douce et mystérieuse tiédeur envahir son ventre. Elle avait joué avec le feu quand elle avait taquiné Thomas, dans l'avion. Pourtant, elle n'avait pu s'en empêcher. Cela avait-il du sens ?

Elle baissa les yeux vers les jardins. Horrifiée, elle se rendit compte que Thomas avait quitté son banc et qu'il l'observait, debout sous la fenêtre. Elle rencontra son regard sombre, incapable de se détourner de lui. Ses paumes devinrent moites, sa bouche sèche. Si elle avait eu des doutes sur le désir qu'elle lui inspirait, ils s'étaient définitivement envolés. Mais elle se rappela ses paroles dans l'avion : il ne ferait rien qui pût déshonorer Jacob ou aller contre les intérêts royaux.

Qu'il aille au diable !

Qu'ils aillent au diable, tous les deux !

— Tu es réveillée ? s'enquit une voix familière.

— Oui...

Elle entendit Allison s'approcher, mais ne se retourna pas avant que Thomas ait disparu derrière une arche de pierre tapissée de roses.

Elle regarda sa sœur.

— J'admirais tes jardins.

Allison l'entoura de ses bras et l'étreignit.

— C'est bon de te voir ! J'aurais tant aimé que tu viennes plus tôt.

— Tu sais ce que c'est, avec les enfants à l'école et mon travail... Il est déjà difficile de se faire remplacer une journée, alors, tu penses, une semaine ou deux...

— Mais tu es là, maintenant, enfin, et nous allons passer l'été ensemble ! dit joyeusement Allison.

Plus délicate, Allison avait la peau presque transparente alors que Diane avait le teint doré par le soleil, et ses cheveux blonds et lisses contrastaient avec le carré brun de Diane. Elle était aussi légèrement plus petite et d'ossature plus fine mais, en dépit de ces différences physiques, toutes deux avaient toujours été très proches.

Diane hocha la tête. Oui, si elle arrivait à ignorer certaines émotions interdites, elle et Allison passeraient un bel été. C'était la première fois qu'elle se retrouvait sans son équipe de joyeux lurons et qu'elle avait du temps à elle, alors elle comptait bien en profiter.

— Par quoi commence-t-on ? demanda-t-elle.

— Nous avons le temps d'y penser, répondit Allison d'un air un peu confus. J'ai certaines obligations programmées depuis des mois auxquelles je ne peux pas me soustraire. Notamment auprès de la Ligue de Protection de l'Enfance.

— Je comprends. Tu ne peux pas te dérober, évidemment. J'attendrai que tu sois libre.

— Tu n'es pas obligée de rester toute seule. J'ai demandé à Thomas de te faire visiter la ville.

Diane comprit soudain pourquoi Thomas semblait si préoccupé. Il allait devoir passer la journée avec elle, et soit cette perspective ne l'enchantait guère, soit au contraire elle lui plaisait trop. Diane réprima un sourire espiègle. Jusqu'où oserait-elle aller ?

La vision fugitive de ses grandes mains sur la peau meurtrie de son pied la troubla. Elle aurait donné cher pour sentir ces doigts habiles sur d'autres parties de son corps...

Elle prit conscience qu'Allison parlait toujours et s'empressa de se concentrer de nouveau sur ce qu'elle disait.

— Bon, il faut que je me sauve. Je serai de retour pour dîner, ainsi que Jacob. Nous organiserons tes vacances à ce moment-là.

— C'est parfait, dit Diane.

— Thomas s'occupera bien de toi.

Et, sur un clin d'œil rassurant, Allison s'en alla, laissant dans son sillage un délicat parfum de lilas et d'œillet.

Diane soupira. L'issue de cette journée ne relevait pas d'elle. Ou ce serait la meilleure qu'elle ait connue depuis longtemps, ou la pire. Tout dépendrait de Thomas.


A 11 heures du matin, la visite privée du château du xv$^e$ siècle avait déjà demandé presque deux heures, malgré le pas de charge auquel Thomas l'avait soumise. Il n'avait même pas ralenti l'allure en lui désignant un Tintoretto, un Velasquez et un Dürer. Les tableaux étaient magnifiques, comme les statues qui ne cessaient de la

surprendre dans les niches et les recoins les plus inatten-
dus au détour des interminables couloirs. C'était un
marbre de David — un splendide nu au corps athlétique
touchant à la perfection — qui avait sa préférence. Mais
déjà Thomas l'entraînait devant de somptueuses tapisseries ornées de batailles, de licornes, et de dames d'antan
aux atours exquis. Il ne lui épargnait aucun détail histo-
rique sur les victoires et les défaites des divers résidents
de *Der Kristallenpalast*, le palais de cristal, ainsi nommé
à cause de l'aspect translucide de ses marbres blancs vei-
nés de quartz originaires de Russie. Il prenait à peine le
temps de respirer entre deux anecdotes. Et il veillait soigneusement à maintenir entre eux une distance respec-
tueuse.

Au début, sa nervosité amusa Diane. Mais quand, la
visite du château achevée, ils traversèrent la cour en
direction des écuries royales, son irritation était à son
comble. Comment pouvait-il obstinément ignorer le désir
croissant entre eux ? Il lui tint galamment la porte pendant
qu'elle pénétrait dans le bâtiment aux boiseries de cèdre
et sa main frôla son dos pour la guider. Prise d'une
impulsion perverse, elle s'arrêta net.

Comme elle se tournait vers lui, il s'empressa de retirer
sa main et recula d'un pas.

— Ne vous avisez pas de vous enfuir, murmura-t-elle,
les yeux étincelants.

Il s'immobilisa et posa sur elle un regard hébété.

— Et ne me dites pas que vous n'avez pas remarqué
ce qui se passe depuis ce matin, reprit-elle avec défi.

Un valet d'écurie passa près d'eux et Thomas se mon-
tra encore plus nerveux.

— Il ne se passe rien, articula-t-il.

— Non ? Thomas, vous avez fait la visite du château
au pas de course ! Si vous ne voulez pas jouer les guides,

dites-le. Je me débrouillerai seule, et probablement mieux. Au moins, je ne mourrai pas d'épuisement.

— Pardonnez-moi si je marchais trop vite pour vous, madame Fields, dit-il assez fort pour être entendu de tout le personnel de l'écurie.

— Voyons, Thomas, gronda-t-elle avec le regard qu'elle réservait aux enfants désobéissants.

Il s'adossa à un pilier et ses épaules s'affaissèrent.

— Ce que je ressens est-il donc si évident?

— Oui.

— Je vais essayer de mieux me contrôler.

— Ce n'est pas ce que je veux.

Il lui jeta un regard circonspect.

— Je vous l'ai déjà dit... nous ne pouvons pas...

— Je veux que nous soyons amis, au moins, Thomas. Vous me plaisez, vous le savez. Cessons de faire semblant et agissons en adultes qui s'apprécient, mais acceptent de ne pas franchir certaines limites.

Il la fixa et elle se demanda ce qu'il pensait.

— Vous ne croyez pas que c'est possible?

— Je ne suis pas habitué à...

Il détourna les yeux et une ombre passa sur son visage.

— Quand une femme me plaît, je trouve généralement un moyen de... d'être avec elle. Sinon immédiatement, du moins plus tard.

— Plus tard... Quand vous vous êtes acquitté de votre mission pour Jacob auprès de cette femme?

— Oui. Ainsi je suis libre de mes actes.

Elle acquiesça lentement.

— Et si la femme n'est plus intéressée?

Un sourire se peignit sur les lèvres pleines de Thomas.

— Ça ne m'est pas arrivé récemment.

Un frisson la parcourut. Agréable, pressant. Qu'éprouvait-on avec un tel homme? Un homme qui savait faire

70

les délices d'une femme, pour leur plaisir réciproque. Sans attaches. Sans promesse. Juste pour partager un bon moment.

Elle songea aux années qui venaient de s'écouler. Elle s'était efforcée d'être une femme respectable, dévouée à ses enfants, travailleuse, fidèle à un mari qui ne l'aimait pas. Ne méritait-elle pas une jolie aventure une fois dans sa vie ?

Ce n'était pas comme si Thomas était n'importe quel type rencontré sur une plage ou dans un bar. Elle l'aimait beaucoup, et c'était un homme bien. Il ne la ferait pas souffrir. Il veillerait à lui donner autant de plaisir qu'il en prendrait lui-même.

Ces pensées la troublèrent profondément. Mais comment une femme persuadait-elle un homme de mettre son honneur de côté pour lui faire l'amour ?

Dans les romans, la séduction était souvent l'apanage de l'héroïne. Elle battait des paupières, ondulait des hanches, renversait la tête avec provocation en exhibant un décolleté plongeant. « Moi, me livrer à ce manège ? » pensa-t-elle, et elle faillit éclater de rire.

— Thomas, je sais que je ne ressemble pas aux femmes que vous fréquentez d'habitude. Mais vous êtes attiré par moi, n'est-ce pas ?

Il hocha la tête en silence et ses yeux s'assombrirent.

— Je veux avoir une aventure avec vous.

Voilà. Elle ne pouvait pas être plus claire.

Il la dévisagea, les yeux écarquillés.

— Je veux faire l'amour avec un ami qui me plaît. Cela vous paraît-il si obscène ?

— N... non, articula-t-il, recouvrant la voix. Mais je ne crois pas que vous mesuriez les conséquences, pour vous.

— Quelles sont-elles ?

— Comme je vous l'ai dit, nous devons penser à votre

famille et à ma position. De plus, nous sommes différents. Un homme peut avoir des relations intimes avec une femme et quitter son lit sans autre état d'âme que la satisfaction d'avoir passé un bon moment. Je crois que les femmes attendent toujours autre chose.

— Vous croyez que les femmes tombent amoureuses de tous les hommes avec qui elles couchent?

— Pas toutes, dit-il en l'observant intensément.

— Les femmes comme moi?

— Oui.

— Qu'est-ce qui vous fait penser ça?

Il posa doucement les mains sur ses épaules.

— Vous êtes une femme audacieuse mais sentimentale, Diane. Vous n'avez pas l'habitude des liaisons sans lendemain, on le voit bien. Vous souffririez ensuite. Je ne peux pas vous faire ça.

— Vous ne croyez pas que j'ai mon mot à dire en la matière?

— Pas si vous vous entêtez dans la mauvaise voie, répliqua-t-il sèchement, les yeux flamboyants. Ne soyez pas stupide, voyons.

Stupide? Quel mufle! Elle le gifla à toute volée.

Puis elle demeura aussi hébétée que lui. Jamais elle ne s'était montrée aussi impulsive. Jamais elle n'avait levé la main sur quelqu'un. Et elle venait de frapper Thomas dont le seul tort était de vouloir se comporter honorablement...

— Je... je suis désolée, balbutia-t-elle.

Elle posa la main sur la joue de son compagnon où la trace rouge de ses doigts commençait à apparaître.

— Je ne voulais pas... Oh, Thomas. Mais vous ne pouvez pas savoir à ma place ce qui est bon pour moi alors que...

Il réagit si vite qu'elle n'eut pas le temps de terminer

sa phrase. Après un bref coup d'œil vers le fond de l'écurie, il l'attira dans une stalle vide, tira la porte derrière lui et ferma le loquet. Le box sentait le cèdre, la paille fraîche, le cuir de cheval. Puis, il la poussa sans ménagement contre la paroi de planches et prit brutalement sa bouche, meurtrissant ses lèvres pour les forcer à s'ouvrir. Il avait le goût du café, et du cognac. D'un alcool, en tout cas, dont il s'était versé un verre pour puiser le cran de passer la matinée avec elle.

— C'est ça que vous voulez? demanda-t-il d'une voix rauque.

De sa bouche ardente, il parcourait la gorge tendre de Diane pour s'immiscer dans l'échancrure de son corsage.

Que voulait-elle vraiment, en effet? se demanda-t-elle à son tour. Qu'il lui fasse subir les derniers outrages sur la paille d'une écurie?

Non.

Ou si, peut-être.

Elle aurait alors l'impression d'exister. De vivre. Il y avait si longtemps qu'elle ne s'était pas sentie désirée! Et malgré la brutalité inhabituelle de Thomas, elle était plus curieuse qu'effrayée.

Entretemps, il avait cherché ses seins et en pétrissait la chair tendre à travers le mince coton de son chemisier. S'il voulait la choquer, il était en train d'échouer, songeat-elle, amusée et comblée. Elle ne demandait que cela! Et plus encore.

— Vous ne me faites pas peur, chuchota-t-elle entre deux soupirs de pur bonheur.

— C'est dangereux, murmura-t-il entre deux baisers. Ce que nous faisons là est dangereux...

Oui, c'était vrai, ils prenaient des risques dans cette écurie où un palefenier pouvait les surprendre à tout instant. A moins que Thomas ne parlât d'un autre genre de danger? Le danger de l'escalade du désir?

Mais en dépit de ses mises en garde, et de ses inquiétudes, ses grandes mains continuaient de procurer à Diane des sensations exquises. Elles se glissaient sous son soutien-gorge, caressaient ses seins palpitants, titillaient leurs pointes. Elles parcouraient ses hanches, soulevaient sa jupe, effleuraient ses cuisses.

Il la pressa contre lui pour lui montrer le violent désir qui faisait palpiter son ventre. Alors, ravie, elle frissonna et ferma les yeux.

— Il faut cesser immédiatement, lui dit-il à l'oreille.

— Non... non, pas encore.

Il caressa voluptueusement l'intérieur de ses cuisses. Diane aimait la callosité de ses doigts virils qui donnait à la brûlante caresse une intensité inouïe. Elle se cambra, le dos pressé contre la paroi de planches. Son cœur battait la chamade. Ouvrant les yeux, elle ne vit qu'un visage flou collé au sien. Puis Thomas l'embrassa de nouveau, reprit ses caresses, révélant les endroits les plus sensibles, emportant Diane dans un tourbillon de sensations insoupçonnées, de plaisirs indicibles.

Des soupirs de plus en plus sonores échappaient à Diane. Il y avait tellement longtemps... Et surtout, jamais elle n'avait ressenti *cela*. Jamais. La violence de sa réaction l'ébranlait et elle se sentait vaciller dans les bras de Thomas. Comme il comprenait bien sa faim ! Et comme il savait merveilleusement l'assouvir !

Elle renversa la tête, le souffle coupé. Le temps s'était aboli. Rien n'existait plus, sinon le plaisir qu'il lui dispensait. A son tour elle eut envie de lui rendre caresse pour caresse. Mais l'écho de ses paroles lui revint... *Dangereux... trop dangereux...*

De toute façon, elle n'était plus en état d'agir. Toute énergie, toute volonté l'avaient désertée. Elle ne put que s'abandonner tandis qu'il l'emportait vers les sommets...

Il avait raison : si elle était déjà passée par là, par ces sensations-là, elle l'aurait su. On n'oublie pas l'extase et on sait en reconnaître les prémices...

Avec un soupir tremblant, elle s'adossa à la paroi du box. La caresse insistante de Thomas, entre ses jambes, lui donnait la sensation d'une pulsation profonde, dans son ventre, dont la puissance pouvait s'exprimer à tout moment, maintenant. Et soudain, elle crut perdre connaissance, une force exquise se ramassa au fond d'elle, puis explosa, la secouant de frissons et envoyant dans ses veines un courant de pure jouissance. Mon Dieu, elle chavirait... elle sombrait dans un divin coma... Que c'était bon ! Inexprimablement bon.

Epuisée, le corps vidé de toute force, alanguie, elle ferma les yeux et se laissa lentement reprendre pied avec la réalité.

— Ça va ? demanda-t-il de sa voix grave.

Elle posa sur lui un regard rêveur, un sourire lascif éclairait sûrement son visage.

— Jamais je ne me suis sentie mieux. Et vous ?

— Pas terrible, j'en ai peur, avoua-t-il avec une grimace charmante. La frustration n'est pas ma tasse de thé. La clandestinité non plus.

— On peut y remédier, suggéra-t-elle, taquine.

— Non.

Il arrangea sa chemise froissée et se dirigea vers la porte du box. Son regard s'assombrit en se posant sur la paille qu'ils avaient piétinée.

— Thomas, remettez-vous, nous n'avons offensé personne...

— J'ai trahi la confiance de Jacob.

— Vous m'avez donné beaucoup de plaisir, murmura-t-elle. Est-ce trahir la confiance d'un roi ?

— Je ne pense pas que ce soit le genre de distraction que le roi et la reine projetaient pour vous...

— Pourquoi ce qu'ils veulent est-il si important ? demanda-t-elle, froissée. N'avons-nous pas notre mot à dire, tous les deux ?

Il secoua la tête.

— Vous ne pouvez pas comprendre.

— Non, dit-elle avec raideur. Sans doute pas.

Elle remit ses sandales de cuir qui avaient mystérieusement quitté ses pieds sans qu'elle s'en rendît compte et reboutonna son chemisier.

A l'aveuglette, elle poussa la porte de l'écurie et s'enfuit en courant. Dans son désarroi, elle n'avait qu'une consolation : Thomas était resté sur sa faim, elle le savait et, comme il l'avait avoué, la frustration n'était pas son rêve dans l'existence.

— Bien fait pour lui, marmonna-t-elle méchamment.

Tout en se disant, plus ragaillardie, qu'il reviendrait forcément y goûter...


Thomas fit le tour de tous les jurons de son répertoire dans toutes les langues qu'il connaissait. Quelle mouche l'avait donc piqué ? Il avait pourtant commencé la journée avec les meilleures intentions du monde. Il comprenait le désir de Diane Fields d'avoir une aventure avec lui. Mais il lui avait clairement laissé entendre que c'était impossible. Pour de nombreuses raisons. Et il pensait lui avoir fourni une explication logique.

Si elle était décidée à faire l'amour avec un homme, parfait, mais pas avec lui. Une telle liaison pouvait ternir à jamais l'amitié qui le liait à Jacob. En outre, elle risquait de lui coûter sa place à la Cour.

Mais surtout, surtout, il redoutait l'effet que Diane avait sur lui. Sur ses émotions intimes.

Jamais il n'avait perdu son sang-froid comme il l'avait

fait, à l'écurie, passant outre une décision pourtant mûrement réfléchie. Bon sang, il avait suffi qu'elle le regarde et le provoque un peu et il avait oublié tous ses beaux principes ! Alors qu'il comptait lui faire visiter le château et ses dépendances avec la plus parfaite courtoisie, elle l'avait allumé, oui, allumé ! Il n'avait eu qu'un recours : essayer de l'effrayer, de la choquer. S'il se comportait comme une brute, s'était-il dit, elle comprendrait qu'il n'était pas celui qu'elle croyait et cesserait son petit manège !

Seulement, ce beau plan n'avait pas marché. Quelque part en chemin, Thomas avait oublié sa fonction — et sa volonté de ne pas entraîner cette jeune femme dans une liaison sans avenir — pour ne plus penser qu'à son plaisir.

La façon dont il l'avait traitée le rendait peu fier de lui, maintenant. Il ne l'avait pas « séduite » à la manière des coquins, mais c'était tout comme. L'instinct était là. Il avait eu envie de rouler avec elle dans la paille fraîche de l'écurie pour la posséder comme un soudard. Pour comble de malheur, le total abandon de Diane avait agi sur lui comme un puissant aphrodisiaque. Il avait adoré ses soupirs, ses sourires encourageants, partagé son plaisir, avide de la faire jouir...

Dans le feu de l'action, tout cela lui avait paru parfaitement naturel et terriblement excitant. Mais maintenant qu'il prenait du recul il ne cessait de se répéter : « Comment ai-je pu oser ? »

Il marcha longtemps pour tenter de recouvrer son calme.

Comme il se décidait enfin à rentrer, il entendit des rires et aperçut Allison qui jouait avec les petits princes derrière les grilles du parc. Il ne pouvait pas l'affronter maintenant, pas après ce qu'il venait de faire.

Revenant donc sur ses pas, il effectua un long détour pour regagner le château.

A l'heure du dîner, il n'avait toujours pas trouvé comment résoudre son problème avec Diane...

Il savait qu'il l'avait blessée en refusant de devenir son amant. Mais la situation était explosive. Il valait mieux que la jeune femme souffre un peu dans son orgueil et qu'elle rentre aux Etats-Unis se trouver un bon mari. Avec tous les atouts qu'elle possédait, elle n'aurait que l'embarras du choix.

... *L'embarras du choix*... Il prit soudain conscience d'un nouveau sujet d'inquiétude : il n'aimait pas du tout l'idée qu'un autre homme pût la toucher comme il l'avait fait !... ou lui faire l'amour comme il ne l'avait *pas* fait !

Bon sang, dans quel guêpier s'était-il fourré ?

La famille se réunit pour dîner dans le petit salon privé proche des cuisines. Monumentale, la salle à manger de réception était réservée aux dîners officiels tandis que le petit salon, plus intime, ne pouvait recevoir plus de huit convives. Quand Thomas arriva, toute la famille était déjà là. Les deux sœurs bavardaient avec animation, Diane racontant par le menu les courses qu'elle avait faites en ville l'après-midi. Il pria pour que personne ne demande pourquoi il ne l'avait pas accompagnée...

Pour échapper à la douce voix de Diane, il monopolisa l'attention de Jacob pendant tout le dîner en l'entretenant de son prochain voyage officiel au Canada. Mais au moment du dessert, il surprit une réflexion d'Allison.

— Franchement, je ne trouve pas que ce soit une bonne idée, disait-elle à sa sœur. La vie nocturne en Elbie est insipide comparée à celle de Paris, Londres ou Rome... Et puis, un établissement comme Le Zandoor n'est pas recommandé pour une femme seule.

— Le Zandoor ? répéta Thomas, intervenant malgré lui dans la conversation.

Diane lui sourit.

— J'ai lu dans un guide touristique que c'était un club très branché à la fréquentation intéressante et la cuisine réputée.

— C'est une boîte pour draguer, commenta-t-il sèchement.

— Tu vois ? dit Allison, soulagée de ce soutien inattendu. Si tu tiens à découvrir la vie nocturne, fais-le en groupe.

— Ou bien emmenez Thomas, intervint Jacob. Il vaut trois hommes à lui tout seul. Je peux en témoigner.

Diane jeta à Thomas un regard éloquent.

Mal à l'aise, il s'agita sur sa chaise et se tourna vers Jacob.

— Je vous ai promis le programme de la réunion de vendredi pour demain soir, et j'ai encore besoin d'y travailler.

— L'après-midi devrait suffire.

Thomas hocha la tête et perdit ce qui lui restait d'appétit. Il toucha à peine au *linzertorte*, le gâteau aux noisettes, aux framboises et aux épices qu'il aimait tant.

— Je n'ai pas besoin de chaperon, dit Diane, pincée.

Mais Son Altesse Royale n'avait pas l'habitude qu'on discute ses ordres.

— Si vous tenez toujours à y aller, Diane, Thomas vous accompagnera, pour le cas où vous auriez besoin de ses services, déclara Jacob d'un ton sans réplique. Sinon, je vous saurai gré de rester au palais.

**\*\***

Le Zandoor résonnait de musiques du monde entier, des rythmes africains aux mélopées irlandaises, en passant par les airs tsiganes et le swing américain.

Le club était fréquenté par des gens de tous âges qui dansaient, bavardaient, riaient. Diane était tout excitée. Il y avait longtemps qu'elle n'était pas sortie le soir, et elle regrettait qu'Allison n'ait pu l'accompagner, même si elle comprenait les servitudes imposées par sa royale image. Fort heureusement, Diane n'avait pas ce genre de sujétion, et elle comptait bien en profiter.

Suivie de près par Thomas, elle fendit la foule qui s'agitait fiévreusement au rythme de la musique cubaine. Au passage, il foudroya les danseurs du regard comme s'il s'agissait d'assassins en puissance.

— Vous êtes déjà venu ici ? cria-t-elle pour se faire entendre dans le vacarme. On peut craindre l'attentat ?

— Pas mon genre de fréquenter cet endroit.

— Le mien non plus, mais n'empêche que ça a l'air sympa !

Elle croisa le regard d'un homme assis au bar et lui rendit son sourire. Elle avait oublié combien il était agréable de flirter...

— Eloignez-vous un moment, voulez-vous, Thomas ? Je ne voudrais pas que vous gâchiez mes chances, dit-elle avec malice, consciente des regards intimidés que suscitait la présence de son garde du corps.


Une heure plus tard, Diane terminait son premier martini et entamait le second, galamment offert par un séduisant jeune homme assis à une table voisine. Elle leva son verre dans sa direction en guise de remerciement. Avant qu'il ait le temps de la rejoindre au bar, un autre s'inclina devant elle pour l'inviter à danser. Un peu éméchée, ivre de liberté, elle s'abandonna sans retenue au rythme effréné de la musique jusqu'à ce que la salle commence à tanguer devant ses yeux. Elle continua à danser mais jugea plus prudent de refuser un troisième verre.

Pendant ce temps, tapi dans un coin sombre de la salle, Thomas l'observait d'un air désapprobateur en rongeant son frein. Tant pis pour lui. Elle lui avait livré son âme et il avait osé la repousser ! Mais maintenant, au moins, vu la tête qu'il faisait à la voir ainsi convoitée par tant d'autres hommes, elle savait qu'il la désirait aussi.

Elle fit des yeux le tour de la salle à la recherche de quelqu'un avec qui elle pourrait partir en toute sécurité, juste pour se venger encore un peu de Thomas. Jamais elle ne coucherait avec un inconnu, mais puisque Thomas l'ignorait elle avait envie de le provoquer. Faire semblant de choisir un partenaire d'une nuit lui procurerait une satisfaction un peu perverse, et délicieuse.

Thomas craqua vers minuit. Elle dansait avec un beau blond aux yeux bleus, moniteur de ski de son état, d'après ce qu'elle avait compris grâce à ses rudiments d'allemand scolaire. C'était un des rares slows de la soirée, et son partenaire en profita pour la serrer étroitement. Elle sentit sa main descendre le long de son dos, sa paume s'arrêta sur le creux de ses reins, son ventre se presser hardiment contre le sien.

Et là, avant qu'elle ait pu protester, elle ressentit une violente secousse avant de voir son cavalier s'envoler littéralement. Interdite, elle regarda autour d'elle et aperçut Thomas qui fendait la foule des danseurs en tenant par le col le fragile jeune homme qui se débattait comme un beau diable.

— Thomas! cria-t-elle.

Seigneur, il allait le tuer. Qu'avait-elle fait?

Jouant des coudes, elle leur emboîta le pas et rattrapa les deux hommes à l'entrée du club.

— Attendez! Je suis désolée, tout est ma faute...

— Vous vouliez qu'il vous touche comme ça? rugit Thomas.

— Non, mais je pouvais me défendre toute seule.

Le regard épouvanté de l'homme allait de Thomas à Diane.

— *Ist er ihres Mann*?

— Non, je ne suis pas son mari! aboya Thomas en le lâchant.

L'homme s'enfuit sans demander son reste et il était dans la rue avant que Diane ait pu lui présenter des excuses. La musique jouait si fort qu'ils s'entendaient à peine.

— Sortons d'ici! hurla-t-elle à Thomas.

Elle lui prit la main et l'entraîna dans l'air frais de la nuit. La pâle lueur de la lune soulignait la silhouette couronnée de neige des montagnes d'Elbie et baignait d'argent les rues de la ville.

Elle s'assit sur un banc et tapota le siège près d'elle. Un long moment, ils demeurèrent silencieux. En fond sonore, on entendait la musique distante du night-club dont les basses se répercutaient sur les vieux immeubles pittoresques.

Diane soupira.

— Ecoutez... Je ne peux pas rester en Elbie si nous n'arrivons pas à un accord, vous et moi.

— Je sais, grommela-t-il.

— Je peux partir, si vous préférez.

Il secoua la tête.

— Vous aviez raison en disant que nous devrions pouvoir être amis, malgré notre attirance. Je n'ai pas été tout à fait honnête avec vous quand je vous ai expliqué mes motifs de ne pas vouloir d'une aventure avec vous.

— Oh ?

— J'ai quarante ans. Comme vous pouvez le supposer, il y a une explication au fait que je sois resté célibataire.

— Je pensais que votre loyauté envers Jacob...

— Jamais il ne me refuserait le droit de fonder une famille. C'est moi qui ai choisi de ne pas me marier : je m'en sens incapable.

Elle lui jeta un regard confus.

— Je ne comprends pas...

— Je n'avais pas cinq ans quand ma mère nous a abandonnés, mes deux jeunes frères, mon père et moi. Elle a quitté notre existence et, à ma connaissance, elle n'a jamais regardé en arrière. En tout cas, je ne l'ai plus revue.

— Je suis navrée.

Elle avait du mal à concevoir qu'une femme pût agir ainsi. Elle pensa à ses propres enfants et son cœur se serra. Combien de fois n'avait-elle pas redouté de les perdre ? Alors les abandonner délibérément... cela lui semblait si étranger à son cœur...

— Comme la plupart des Britanniques, mon père n'était pas un homme démonstratif. Il subvenait à nos besoins, et nous avions une nourrice mais, dès six ans, nous fûmes envoyés en pension. Je ne rentrais à la maison que pour les vacances.

— Je vois.

— Non, vous ne voyez pas. Comprenez-moi bien : même si la vie me permettait de rencontrer une femme que j'aime, je ne me marierais pas, reprit-il lentement. J'ai été seul la moitié de mon existence, à l'école, dans l'armée, puis dans ma vie de célibataire. J'aurais trop de mal à m'adapter à la vie conjugale. De plus, je crois que j'aurais toujours peur qu'elle finisse par me quitter.

L'explication était plausible. Plus plausible qu'une prétendue loyauté aveugle envers Jacob.

— Toutes les femmes ne quittent pas leur mari, vous savez.

— La peur n'a pas de logique.

— Je sais.

Il n'y avait pas grand-chose à ajouter. Diane se leva.

— Marchons un peu. Nous arriverons peut-être à trouver un moyen de nous supporter mutuellement.


Laissant la voiture, ils s'engagèrent dans les ruelles de la partie la plus ancienne de la ville. Thomas lui parla des origines de la cité, qui remontait à l'époque du Saint-Empire romain germanique. Il lui désigna des fondations en ruine, l'emplacement d'un ancien hôtel de ville, une fontaine édifiée en l'honneur de Wilhem, ancêtre de Jacob. La vieille cité avait un passé glorieux et Diane avait un peu l'impression d'en faire partie. La ville possédait l'élégance et le charme du passé, et une histoire digne de rivaliser avec celle des plus jolies villes du monde.

Au bout d'un moment, Diane s'arrêta et prit les grandes mains de Thomas dans les siennes.

— Ne parlons plus d'autrefois, il est temps de revenir au présent.

— C'est ce que je craignais, dit-il avec un pâle sourire.

— Je ne veux pas quitter l'Elbie maintenant. Je me plais beaucoup ici et, vous aviez raison, j'ai besoin d'une pause... de temps pour réfléchir à ma vie future.

— Alors, restez.

— Vous savez, je n'ai jamais rencontré un homme comme vous, Thomas, dit-elle avec sincérité. Ce que j'éprouve quand nous sommes ensemble... c'est du bonheur. Et je suis heureuse de vous faire de l'effet. Cela me donne l'impression d'être unique.

— J'en suis content, commenta-t-il en lui jetant un regard méfiant.

— Mais je respecte vos raisons de ne pas vouloir vous impliquer. Et même si j'ai prétendu que l'opinion de Jacob et votre souci de mon avenir ne comptaient pas, je ne le pensais pas vraiment. Je ne peux pas vous demander de vous montrer déloyal envers Jacob. Et ce n'est guère le moment de m'embarquer dans une liaison, quand une aventure amoureuse devrait être le cadet de mes soucis.

— Je suis de cet avis, dit-il prudemment.

— Il vaut peut-être mieux conserver des relations simples. Votre amitié m'est précieuse. Pouvons-nous en rester là ?

— J'ai essayé, remarqua-t-il.

— Mais je ne vous ai pas facilité les choses, n'est-ce pas ?

Il secoua la tête, le regard assombri.

— Cette fois, j'y mettrai du mien, je vous le promets. Je ne vous taquinerai plus et n'essaierai plus de compromettre votre honneur. Ni de vous provoquer. Et si vous vous sentez faiblir, dites-le-moi, je vous éviterai pendant quelques jours... je ferai un voyage en Autriche, en Suisse ou ailleurs. Ce ne sera pas une telle épreuve.

Il sourit.

— Non.

Il porta à ses lèvres les doigts de sa compagne et y déposa un baiser léger.

— Vous pouvez compter sur moi pour respecter ce contrat entre nous.

— Alors, amis ? murmura-t-elle, les yeux brillants de larmes contenues.

— Amis, puisqu'il le faut, dit-il.

Et il lui lâcha la main avec un long soupir.

Elle suivit son regard. Il se portait en direction du château dont la majestueuse silhouette dominait la ville. Pouvait-elle se sentir en accord avec elle-même, avait-elle fait le bon choix ? Elle avait toujours beaucoup aimé Thomas mais, maintenant, elle le respectait aussi. Alors, oui, elle avait fait le bon choix en décidant de ne pas l'enferrer davantage dans une situation embarrassante, voire douloureuse, pour lui. Restait pour elle à espérer que, un jour, si la chance était de son côté, elle rencontrerait quelqu'un qui ressemble à Thomas. Et si cet homme avait de la place dans son cœur pour une mère de trois enfants, elle lui appartiendrait à jamais...

# 5.

Depuis deux semaines, Thomas avait donné sa parole, et il faisait de son mieux pour s'y tenir. Mais malgré ses efforts pour ne voir en Diane qu'une amie, membre de la famille royale, il passa les jours qui suivirent obsédé par le souvenir troublant de leurs caresses passionnées dans l'écurie, le jour de la visite du château.

Il n'arrivait pas à oublier la façon dont elle s'était offerte, avide d'un plaisir qu'elle n'avait peut-être encore jamais connu. Et quand l'extase l'avait prise, il avait été dangereusement près de se perdre lui-même.

Il était vraiment stupéfait par l'emprise qu'elle avait sur lui. Effrayé, même. Il lui avait donné tout ce qu'elle voulait, et son plaisir l'avait comblé. Encore une chose qui ne lui était jamais arrivée. Certes, il avait toujours veillé à satisfaire ses partenaires, mais pour des raisons égoïstes. Parce qu'il en attendait autant en retour. Avec Diane, il n'avait pensé qu'à elle, à la rendre heureuse.

Par la suite, il avait dû affronter les douloureuses conséquences de sa propre insatisfaction et n'avait eu d'autre choix que se rabattre sur une douche glacée.

Debout devant les rayonnages surchargés d'ouvrages de la bibliothèque du palais, Thomas chassa résolument ces visions troublantes. Il était temps. Quelqu'un venait d'entrer, et des pas s'approchaient. Il fallait être irréprochable, et non avoir l'air rêveur.

Il leva les yeux du gros livre de droit que Jacob l'avait envoyé chercher et vit...

... Diane. Diane qui lui souriait, lumineuse dans une robe bain de soleil jaune.

Et, de nouveau, il se sentit perdu.

— Vous m'évitez déjà, dit-elle d'un ton mi-malicieux, mi-accusateur.

— Je suis très pris. Je travaille, ici, ne l'oubliez pas.

— Je sais. Je plaisantais. Vous n'êtes pas chargé de me distraire.

— Une nouvelle robe? s'enquit-il pour dire quelque chose.

Coupée dans un frais vichy, la robe avait un corsage décolleté carré qui laissait voir le charmant sillon des seins. Alors, Thomas eut l'impression de recevoir une décharge électrique dans les reins.

— Oui, répondit-elle, ravie qu'il l'ait remarqué.

Puis elle pivota sur elle-même pour se faire admirer.

— Allison m'a emmenée dans les magasins, hier. Elle prétend que ce jaune met en valeur le châtain foncé de mes cheveux.

— C'est vrai.

Il se tut, n'osant énumérer les innombrables manières dont il la trouvait belle ce matin-là.

— Je me disais que la journée était idéale pour un pique-nique dans la vallée. Vous connaissez un joli endroit?

— Oui, plusieurs, répondit-il prudemment. Qui est de la fête?

— Allison, les enfants et moi. Jacob, s'il peut se libérer... et vous êtes invité.

Il laissa échapper un soupir de soulagement. Du moment qu'il n'était pas seul avec elle, tout irait bien.

— C'est une très bonne idée.

Elle sourit.

— Parfait. Je vous laisse décider de l'endroit. Quant à moi, je vais aller voir ce que la cuisinière peut nous préparer de bon.


Elle le laissa, inconsciente des émotions troublantes qui l'agitaient. Son cœur battait à se rompre dans sa poitrine et, en même temps, il se sentait léger, comme un oisillon prenant son envol pour la première fois. Il se réjouissait à la perspective de paresser au soleil en compagnie des personnes qui lui étaient le plus chères, et tout cela en parfaite sécurité, rassuré, protégé de la tentation...

D'un autre côté, une part de lui-même brûlait d'envoyer promener toute prudence et de trouver un moyen d'avoir Diane pour lui seul pendant quelques heures. Il ne la toucherait pas, non. Il se contenterait d'écouter son rire cristallin, de savourer le doux son de sa voix, de compter les étoiles qui scintillaient dans ses yeux.

Ils bavarderaient comme ils l'avaient déjà fait, du passé, de leurs espoirs pour l'avenir... des choses simples, quotidiennes, dont parlaient les amis. Il avait même une idée de la façon dont elle pourrait utiliser son diplôme universitaire pour subvenir plus efficacement à ses besoins et ceux de ses enfants.

Il sentait qu'elle n'aborderait plus le délicat sujet d'une possible aventure entre eux. C'était une femme de caractère. Elle avait pris son parti de ne pas être sa maîtresse puisque c'était la seule façon de conserver son amitié. Mais il était hanté par l'expression de son beau visage au plus fort du plaisir...

La vie était vraiment trop injuste, conclut-il alors, écœuré.

Présumant qu'il devrait jouer les chauffeurs pour leur petite promenade dans la vallée, Thomas avait demandé à ce qu'on fasse le plein de la limousine et qu'on polisse la carrosserie jusqu'à ce qu'elle soit étincelante. Il la gara devant l'entrée des cuisines. Une vingtaine de minutes plus tard, Diane sortit avec un grand panier d'osier.

— Où sont les autres ? demanda-t-il.

— Ils arrivent, j'imagine, répondit-elle en souriant. J'ai laissé les couvertures dans la cuisine. Pouvez-vous aller les chercher ?

Passant sous l'entrée voûtée, il pénétra dans le vaste office où s'affairaient une douzaine de cuisiniers et marmitons les jours de réception. Plus modeste, la cuisine de la famille se trouvait juste derrière. Comme il entrait, il entendit le bourdonnement de l'Interphone, et la voix d'Allison s'adressant à la cuisinière.

— ... alors dites à ma sœur que je n'ose pas sortir Carl aujourd'hui. Nous irons pique-niquer une autre fois.

Thomas fronça les sourcils.

— Que se passe-il ?

La cuisinière sursauta et lâcha le bouton de l'Interphone.

— *Mein Gott !*

— *Entschuldigung*, s'excusa-t-il. Je ne voulais pas vous effrayer, *Frau* Seubel. J'en déduis qu'il y a un changement de plan ?

— Le petit prince n'est pas bien, expliqua la femme en allemand. Il a mal au ventre, d'après la reine.

— Et Jacob et le bébé ?

Elle le dévisagea comme s'il était devenu fou.

— Croyez-vous que le roi va aller pique-niquer sans sa femme ?

— Vous avez raison. C'est stupide de ma part. Alors, je suppose que cette petite excursion est annulée.

La cuisinière soupira à fendre l'âme.

— Tous ces bons petits plats... pourquoi n'en profitez-vous pas avec *Frau* Fields?

Il la fixa et se mordilla la lèvre. Pourquoi, en effet? Deux adultes raisonnables devaient être capables de partager un modeste repas? Et puis, d'une façon ou d'une autre, maintenant que tout était organisé, il se sentait obligé de tenir compagnie à Diane.

Il tourna les talons et sortit dans la cour écrasée de soleil. Là, il trouva Diane confortablement installée dans la limousine. Il se pencha par la fenêtre ouverte.

— Il semblerait que nous ayons un problème.

— Que se passe-t-il?

— Carl est souffrant. Rien de grave, mais Allison veut rester auprès de lui. Et jamais Jacob ne consentira à s'arracher à ses dossiers si elle n'est pas là.

— Alors, que faisons-nous?

— On peut annuler la promenade, ou continuer comme prévu.

Elle scruta le ciel bleu avec une moue.

— Je me réjouissais tant de cette sortie. Mais je suppose qu'un autre jour...

— Pas nécessairement.

Elle se tourna vivement vers lui.

— Vous plaisantez...?

— Pourquoi n'irions-nous pas pique-niquer tous les deux? Nous sommes amis, n'est-ce pas?

— Des amis qui se plaisent beaucoup trop..., lui rappela-t-elle.

— Ça peut se contrôler.

Elle secoua la tête, sceptique.

— Peut-être en public, mais là-bas... Ce tête-à-tête risque d'être dangereux.

— J'ai confiance en nous, coupa-t-il avec assurance. Ecoutez, il y a presque deux semaines que nous avons fait ce pacte, et jusque-là nous l'avons respecté.

— Très bien, dit-elle non sans une légère hésitation. Mais je viens m'asseoir à côté de vous. Je me sens ridicule toute seule au fond de cette monstrueuse voiture.

En descendant dans la vallée, ils traversèrent des paysages spectaculaires. L'herbe y était si verte et grasse que Diane avait peine à croire qu'elle pût roussir pendant l'été. Au fond, une rivière serpentait paresseusement et se ramifiait en minuscules ruisseaux qui formaient une irrigation naturelle. La bruyère poussait en abondance.

Après la traversée de la ville, ils remontèrent de l'autre côté du vallon et Thomas s'arrêta dans une petite clairière qui dominait la vallée, offrant une vue imprenable sur le château dont les tours scintillaient dans le soleil de la mi-journée.

— On dirait un paysage de conte de fées, remarqua Diane, émerveillée.

— Il n'y a pas beaucoup de châteaux dans le Connecticut, mmm ?

Elle sourit.

— Juste quelques-uns.

Elle ouvrit la portière et sauta de voiture.

Il l'observa un moment, simplement heureux d'être avec elle.

— Eh bien, venez ! cria-t-elle. Je meurs de faim. Voyons ce que nous a préparé *Frau* Seubel.

Avec une impatience fébrile, ils vidèrent le panier et découvrirent des saucisses, d'odorants fromages, deux sortes de pain et un gâteau au moka que Thomas désigna sous le nom de *Doboschtorte*. Ils disposèrent leur festin

92

autour d'eux sur la couverture, et Diane coupa une tranche de pain croustillant qu'elle tendit à Thomas. Ils mangèrent en silence. Offrant son visage à la caresse du soleil, Thomas songea qu'il n'avait jamais été plus heureux.

— Merveilleux, commenta-t-elle enfin et, enlevant les miettes qui parsemaient sa jupe, elle lécha la crème fouettée qu'elle avait sur les doigts. Je n'ai pas été aussi détendue depuis des années.

— Avec la charge de trois enfants et de toute une maisonnée, j'imagine que vous n'avez pas beaucoup de temps libre.

— Non, admit-elle en haussant négligemment les épaules. Mais le temps passé avec mes enfants ne me pèse jamais.

Il étudia son profil adouci par les rayons du soleil. Elle était infiniment plus attirante en vichy jaune et sans maquillage que n'importe quelle comtesse sophistiquée parée de bijoux.

— Mais je reconnais que c'est agréable de ne pas avoir à préparer les repas, laver le linge deux fois par jour, nettoyer les graffitis des murs, éponger le jus d'orange renversé sur la moquette...

— Je le crois volontiers.

Elle s'allongea sur la couverture et ses cheveux châtain foncé se répandirent autour de son visage auquel le soleil donnait déjà de jolies couleurs.

— Thomas, avez-vous jamais pensé à devenir papa ?

La question le prit au dépourvu.

— Non. Enfin, si, mais pas longtemps, dit-il avec un rire nerveux.

— Pourquoi ? Je vous ai vu avec Carl et Kristina. Vous êtes si doux, si gentil. Vous feriez un père merveilleux.

Comment diable en étaient-ils déjà à cet épineux sujet ? S'appuyant sur un coude, il regarda vers les montagnes froides, distantes, immuables. Elles au moins ne changeaient jamais. Elles existaient simplement, solides, fiables, année après année. Les êtres humains, eux, étaient versatiles et changeants. Ils vous laissaient croire qu'ils seraient toujours là pour vous protéger et vous aimer. Et un jour, ils disparaissaient... vous chassaient de leur vie.

— Je n'ai pas envie d'en parler, Diane, dit-il d'une voix rauque.

Elle se tourna vers lui, les yeux brillant de questions qu'il ne voulait pas entendre.

— N'avez-vous jamais essayé de retrouver votre mère ? Pour lui demander pourquoi elle était partie ?

Il la foudroya du regard pour lui imposer silence. Elle abordait un sujet tabou. Elle aurait dû le savoir, non ?

— Thomas, je vous en prie. Je ne veux pas être indiscrète. Simplement suggérer que, peut-être, elle n'a pas eu le choix. Elle a pu avoir des remords terribles, et ne pas oser revenir, par honte...

— Ça suffit ! gronda-t-il.

Choquée, elle le regarda d'un air stupéfait et ouvrit la bouche, puis la referma sans mot dire.

— Le passé n'a pas d'importance. C'est fini. Révolu ! hurla-t-il en se redressant avec raideur.

Elle contempla son profil tourmenté. Physiquement, c'était un homme d'une force peu commune, en apparence dur et froid. Pour qui ne le connaissait pas, il pouvait même paraître insensible. Mais elle avait su trouver la faille...

L'amour. C'était toujours, toujours là que le bât blessait. Il suffisait de le découvrir une fois pour le vérifier en toute circonstance.

L'amour. Ou le manque d'amour qui pouvait si facilement vous détruire. Au fond, Thomas était aussi vulnérable qu'elle, peut-être même plus.

Elle aurait aimé le réconforter, lui redonner espoir en lui expliquant que l'amour n'était pas forcément le prélude au manque, au malheur et au chagrin. Certes, son propre mariage n'avait pas été un modèle du genre et elle ne pouvait le citer en exemple pour convaincre Thomas de reprendre espoir. Mais elle croyait du fond du cœur que, pour chaque personne aspirant à aimer, il y avait, quelque part, un partenaire idéal, qui aimerait en retour et qui serait complémentairre. Oui, avec de la chance, deux êtres destinés l'un à l'autre finissaient par se trouver.

— Thomas, souffla-t-elle en posant une main apaisante sur son bras.

Il se raidit.

— Non.

Elle perçut son recul. Elle sentait sa peine, et sa détresse lui déchirait le cœur.

— Vous l'avez dit vous-même, le passé est révolu. Vos choix ne regardent que vous, poursuivit-elle. Les erreurs de vos parents ne peuvent déterminer votre avenir.

— Vous ne savez pas de quoi vous parlez, grommela-t-il sombrement.

Elle se pencha vers lui.

— Alors, expliquez-moi. Dites-moi pourquoi vous...

Il se leva d'un bond et s'éloigna sans lui laisser le temps de terminer sa phrase. Les épaules voûtées, les poings serrés, le corps raidi, il avait visiblement du mal à contenir sa fureur.

Seigneur, qu'avait-elle fait ?

Elle bondit sur ses pieds et courut derrière lui, sans se soucier des hautes herbes qui fouettaient ses jambes nues. Le sol était inégal et ses pieds nus s'enfonçaient dans des sillons cachés. Soudain, elle se tordit la cheville et tomba avec un cri étouffé.

Sa première pensée fut pour son pied blessé, mais elle se rendit compte immédiatement qu'il n'avait pas souffert de la chute. Se sentant stupide, elle s'apprêtait à se relever quand une ombre lui masqua le soleil. Thomas. Il lui tendait la main. Il n'avait plus l'air dangereux. Du moins ne semblait-il plus en colère.

— Venez, dit-il en lui saisissant le poignet pour la remettre sur pied.

Elle ouvrit la bouche pour parler, mais il secoua la tête et lui posa l'index sur les lèvres en murmurant : Chhhut... Un geste d'une tendresse inouïe, bouleversante, de la part de ce géant.

— Nous avons tous deux connu la souffrance, murmura-t-elle. Différemment.

Il la regarda avec une intensité qui lui arracha un frisson. Elle aurait aimé lire en lui. Il ne répondit pas mais, au fond de son cœur, elle savait qu'il était torturé et refusait de chercher pourquoi exactement... et de s'avouer à lui-même son chagrin. Et puis, intuitivement, elle sentait qu'il y avait autre chose — comme obstacle — que le manque d'amour dont il avait souffert dans son enfance.

— Croyez-vous que deux personnes qui souffrent peuvent s'aider à guérir ? souffla-t-elle.

— Saus causer davantage de dégâts ?

Elle sourit.

— C'est le but.

Elle glissa les doigts dans les courts cheveux de Thomas et le sentit s'incliner imperceptiblement vers elle.

— Thomas...

— Oui ?

— Embrassez-moi. S'il vous plaît.

Il ferma les yeux, visiblement au supplice.

— Embrassez-moi, répéta-t-elle.

— Je ne peux pas.

— Pourquoi ?

— Si je le fais...

Il ouvrit les yeux et elle se dit que jamais elle n'avait vu autant de passion briller dans le regard d'un homme.

— ... si je vous embrasse, je vous ferai l'amour, Diane. Je n'aurai pas le choix.

— Alors, faites-moi l'amour. Ici. Maintenant.

En prononçant ces paroles, elle sentit que sa vie prenait une direction nouvelle, et qu'elle ne pourrait plus revenir en arrière. Elle quittait l'abri de sa vieille existence familière pour un monde inconnu. La petite maison dans la rue bordée d'arbres, les tâches ménagères, les genoux égratignés des enfants, les factures à payer, tout s'effaçait pour laisser place à ses propres désirs si longtemps ignorés.

Le cœur battant la chamade, elle regarda Thomas s'incliner vers elle. Ses lèvres chaudes se posèrent sur les siennes. Ses bras l'enveloppèrent, l'isolant du monde, lui promettant monts et merveilles.

Ils n'avaient vu personne pendant leur pique-nique, et comme ils revenaient vers la clairière, main dans la main, Diane pria silencieusement pour qu'ils ne soient pas dérangés. Il l'embrassa avec avidité, la savoura comme pour imprimer à jamais cet instant dans sa mémoire. Ils s'allongèrent sur l'herbe grasse, seuls au monde, avec pour unique témoin la nature complice et protectrice.

Un moment, Diane se demanda s'il la touchait comme il avait touché les autres femmes avant elle. Mais son instinct lui dit que non. Les mains de Thomas tremblaient sur sa chair, comme si l'expérience était nouvelle pour lui, comme s'il était aussi novice qu'elle en la matière.

Elle le regarda et prit son visage entre ses paumes

fraîches. Elle voulait lui dire sa reconnaissance, mais craignait qu'un seul mot ne brise le charme. Pendant qu'il défaisait les boutons de sa robe, elle attendit patiemment et couvrit de baisers son front, son menton, le coin de ses lèvres...

Elle n'avait pas de soutien-gorge sous sa robe bain de soleil et, lorsque le corsage s'ouvrit, ses seins libres s'offrirent tels deux fruits mûrs. Les mains de Thomas les caressèrent avec la même attention, puis il s'écarta pour la contempler.

Diane l'encouragea à la goûter. Elle brûlait de sentir sa bouche sur leur chair tendre et palpitante. Combien de fois n'avait-elle pas rêvé, ces deux dernières semaines, qu'il l'embrassait là et dans bien d'autres endroits interdits ?

Comme s'il le devinait, il posa ses lèvres sur les pointes brunes et dures de ses seins. Puis, prenant leur chair dans ses mains viriles, il la savoura voluptueusement jusqu'à arracher à Diane un gémissement de plaisir.

Ensuite, ses lèvres glissèrent, descendirent explorer la peau veloutée du ventre de sa compagne. Là, il s'immobilisa et leva vers elle un regard interrogateur. Les beaux yeux noirs comme la nuit firent battre follement le cœur de Diane.

— Je te veux tout entière, murmura-t-il d'une voix sourde.

— J'ai envie de toi.

Les grandes mains se posèrent sur ses hanches et la débarrassèrent de son slip. Elle étouffa un cri de surprise quand les lèvres chaudes et sensuelles se promenèrent sur son intimité. La brûlure était délicieuse, insoutenable. Elle enfouit les doigts dans les cheveux de Thomas et, les yeux clos, se délecta de la montée du plaisir, consumée par un désir de plus en plus intolérable.

Et, enfin, elle se laissa aller.

Aussitôt, le monde ne fut plus qu'un tourbillon de couleurs. Les arbres, l'herbe, les nuages tournoyaient autour d'elle tandis que le plaisir l'emportait. Elle ne touchait plus terre. Elle ne faisait qu'un avec le ciel, l'éternité, la vie même.

Couchée dans l'herbe tendre, le corps alangui, comblée, elle savoura ces instants, légère comme une plume. Aucune femme s'était-elle jamais sentie aussi délicieusement épuisée ? Pas un homme ne savait comme Thomas satisfaire une maîtresse, elle en était certaine...

— Attends, chérie, murmura-t-il comme elle le contemplait.

— Quoi donc... ?

— Nous ne faisons que commencer.

Il avait gardé sa chemise mais s'était débarrassé de son jean et ne pouvait guère lui cacher le désir ardent qu'elle lui inspirait. Tant de virilité lui serra la gorge d'émotion. C'était beau, un homme, quand il avait vraiment envie d'une femme... Elle tendit vers lui une main timide, la referma doucement. Il était dur, magnifique. Il lui appartenait.

Elle avait toujours secrètement rêvé d'être aimée librement, passionnément, par un homme comme lui. Même si cela ne devait plus se reproduire, elle n'oublierait jamais qu'elle avait été sienne et qu'il lui avait appartenu l'espace d'un moment magique.

Leurs regards se soudèrent et elle rit doucement. Elle rit parce qu'il était merveilleux de savourer à l'avance le fabuleux plaisir qu'ils allaient partager.

Elle s'ouvrit pour l'accueillir. D'un mouvement possessif, il se glissa entre ses cuisses, et plongea en elle d'un puissant coup de rein. Grisée par cette approche farouche, elle se livra sans réserve, le voulant sauvage, indompté, sans passé, sans manières, sans rien qui modère ses ardeurs.

Alors, tout ce que Thomas s'était juré de ne pas faire, il le fit. Tandis qu'il s'enfouissait fiévreusement en elle, il avait conscience de se saborder. Il se rendait compte de chaque erreur et se maudissait de sa faiblesse. Mais il n'aurait pas pu s'arrêter... Il s'était promis de ne pas poser la main sur elle... mais son envie avait été la plus forte. Ensuite, plus rien n'aurait pu endiguer sa gourmandise, sa convoitise. Il avait eu besoin de la goûter partout. Et après lui avoir fait connaître l'extase, il avait été victime de son propre désir.

Comme si, maintenant qu'il lui avait donné du plaisir, il ne pouvait plus se refuser quoi que ce soit. Et elle était si accueillante, si avide de lui plaire...

Il était déjà en elle, quand la voix de la raison s'était très discrètement fait entendre. Lui qui jamais n'avait pris le risque d'avoir une relation amoureuse avec quelqu'un du palais — personnel ou invitée — ni de s'unir à une femme sans utiliser de protection... que faisait-il, là, maintenant, de ces principes ?

Mais cette journée l'avait pris par surprise, et il ne s'était pas préparé à se défendre. Et tandis qu'il glissait avec délice dans la douceur moite de Diane, il se maudit de son imprudence. Oh, il ne craignait rien, il avait toujours été prudent, et Diane ne risquait rien. Pas plus que lui-même ne courait le moindre danger avec cette jeune femme sage dont le mari avait déserté la couche depuis presque un an. Non, le vrai problème, c'était qu'il ne fallait surtout pas que Diane se retrouve enceinte. Là ce serait le scandale...

... Une sensation violente de plaisir lui fit oublier toute réflexion. De nouveau, il n'y eut plus d'espace, ni dans son esprit ni dans son corps, que pour le bonheur que lui procurait cette étreinte. Il entremêla leurs doigts et, entraînant Diane dans son ascension vers le plaisir, il accéléra la cadence pour tout oublier, pour ne plus penser qu'à l'essentiel : elle, lui et la jouissance. Bientôt, son corps fut sur le point d'exploser. Et l'instant d'après, l'extase le foudroya et il accueillit la délivrance avec un gémissement.

Epuisé, il s'effondra dans les bras de Diane, qui lui souriait, radieuse. Hélas, cet état de plénitude ne dura pas : le choc de la réalité ne se fit pas attendre. Thomas fut envahi par sa faute.

Voilà, il l'avait commise, sa trahison...

... Et il s'en moquait, songea-t-il alors contre toute attente, de nouveau submergé de douceur. Une seule chose comptait : Diane lui appartenait. Pendant quelques précieuses secondes, elle avait fait partie de lui. C'était tout ce qu'il souhaitait depuis des semaines, alors qu'il n'en méritait peut-être pas tant. Et tant qu'il n'y serait pas contraint, il ne la laisserait plus partir...

# 6.

Il la sentit se mouvoir et se souleva pour ne pas peser sur elle.

— Ça va ?

— Très bien, soupira-t-elle, radieuse. C'était... au-delà de toutes mes espérances.

Elle semblait comblée, et il s'en réjouissait. Mais le moment le plus délicat était arrivé, et il ne savait comment aborder le sujet sans se montrer brutal.

— Je suis désolé. J'aurais dû utiliser un préservatif.

— Sans doute, murmura-t-elle en caressant sa poitrine dure sous sa chemise entrouverte. Tu sais, j'aimerais te voir tout nu un jour...

— Je suis sérieux, Diane. Je me suis comporté de manière irresponsable. Nous n'avions pas parlé de nos antécédents. Mais je te rassure tout de suite, je n'ai jamais fait l'amour sans protection avant.

— Ça ne m'inquiétait pas, dit-elle en se redressant pour le regarder se rajuster.

— Tu devrais pourtant te soucier de ce genre de détail, maintenant que te voilà de nouveau célibataire.

Elle haussa les épaules. Elle comprenait mais, pour l'instant, elle flottait sur un petit nuage et n'avait pas envie de discuter de choses aussi terre à terre.

— Il y a si longtemps que je n'ai pas fait l'amour, il ne m'est même pas venu à l'esprit que je pourrais me retrouver enceinte, dit-elle en rougissant, soudain gênée.

Il l'observa pendant qu'elle se rhabillait et sentit son corps réagir à ce spectacle. Contre toute attente, il la désirait de nouveau.

Mais cette fois, il résista.

— Viens, mangeons quelque chose. Ce petit intermède m'a creusé, pas toi ?

Il restait beaucoup de mets délicieux dans le panier d'osier que la cuisinière avait rempli pour six personnes, et ils y firent honneur. Tout en mangeant, Thomas étudiait Diane. Regrettait-elle ce qui venait de se passer ? Non. Lumineuse, elle dégageait un rayonnement inhabituel. Elle riait pour un oui pour un non en lui racontant des histoires de jeunesse. Elle avait failli rejoindre la Coopération pour l'aide aux pays en voie de développement à la fin de ses études universitaires, mais elle s'était retrouvée enceinte de son premier enfant, et sa vie avait pris une direction radicalement différente.

— Tu n'as jamais envisagé de confier le bébé à l'adoption ?

— Non, répondit-elle sans hésitation.

— Tu ne te serais pas sentie obligée d'épouser Gary, remarqua-t-il.

— Je sais, et je ne prétendrai pas ne jamais y avoir pensé, dit-elle en croquant dans une pomme. Mais je savais que je ne pourrais pas renoncer au bébé. Et quand je m'en suis ouverte à Gary, c'est lui qui a suggéré qu'on se marie. Il voulait partager avec moi la responsabilité de son éducation.

— Et il l'a fait ?

— Pendant quelque temps, répondit-elle en mâchant d'un air songeur. Mais parlons d'autre chose.

L'après-midi s'écoula paisiblement. Ils le passèrent à bavarder et se tenir la main sous le soleil bienveillant. Thomas avait l'impression de retrouver ses quinze ans et de découvrir les filles. Mais il se rendait compte que Diane était différente des femmes qu'il avait connues. Il ne se lassait pas de son rire, de ses sourires. Depuis qu'il la connaissait, elle n'avait jamais paru aussi heureuse. Bien qu'il s'en réjouît, son attitude insouciante le troublait du plus en plus tandis que le soleil baissait lentement à l'horizon. Maintenant qu'ils avaient franchi une ligne défendue, qu'allait-il se passer?

Allongée sur la couverture, elle contemplait la course nonchalante des nuages dans le ciel, et il se pencha pour baiser tendrement ses lèvres.

— Nous devrions rentrer, murmura-t-il.

— Je sais, commenta-t-elle avec un charmant froncement de sourcils. Je voudrais que cette journée ne finisse jamais.

— Moi aussi, dit-il, sincère.

— J'en déduis que tu crois toujours que Jacob ne serait pas content d'apprendre que...

— Il serait fou furieux.

Elle le scruta et redessina d'un doigt léger le contour de son visage viril. Elle semblait plus curieuse que contrariée.

— L'homme de confiance du roi n'est-il donc pas autorisé à avoir une vie personnelle?

— Bien sûr que si, à condition qu'elle n'empiète pas sur ses obligations envers la famille royale et la Cour.

— Je vois, articula-t-elle en détachant chaque mot. Discrétion oblige...

— Oui.

Elle lui jeta un regard malicieux qui le mit mal à l'aise.

— Nous avons été discrets. Pourquoi ne continue-rions-nous pas ?

Il soupira. Il devait absolument lui faire comprendre qu'il ne s'agissait pas d'un jeu.

— Ce qui s'est passé entre nous aujourd'hui... ne peut pas se reproduire, Diane.

— Pourquoi ? demanda-t-elle simplement.

Il en resta abasourdi.

— Ce n'était pas prévu. Ça s'est passé comme ça. Et c'était...

— Merveilleux, acheva-t-elle avec un sourire lumineux.

— Oui, admit-il. Seulement, nous ne pouvons pas avoir une liaison sous le toit du roi et...

— Le ciel nous en préserve ! Je suis persuadée que jamais le palais royal d'Elbie n'a été le témoin d'ébats illégitimes ! Aucun duc n'a jamais troussé une dame d'honneur dans un donjon. Aucune reine n'a jamais honoré de ses faveurs un garçon d'écurie. Ce serait trop choquant... !

— Ne te moque pas de moi. Je suis sérieux.

Les yeux de la jeune femme se rétrécirent.

— Et tu crois que je ne le suis pas ?

— Ne me rends pas les choses plus difficiles qu'elles ne le sont. J'essaie de me comporter honorablement vis-à-vis de Jacob, mais aussi de toi.

Le sourire de Diane s'évanouit. Ses yeux se durcirent, soudain froids comme du granit.

— De *moi* ? Tu veux me protéger, c'est ça ?

— Oui, soupira-t-il, soulagé qu'elle ait fini par comprendre.

— Me protéger de quoi ?

— Je ne veux pas que tu sois déçue. Tu sais qu'il n'y a pas d'avenir pour nous.

— Je te l'ai déjà dit, ça n'a pas d'importance pour moi. Il me suffit de me sentir de nouveau vivante ! D'être désirée, de m'abandonner, de rendre caresse pour caresse... J'ai découvert une chose, aujourd'hui, Thomas. J'aime qu'on me touche. J'aime oublier où je suis, et même qui je suis ! Et je...

— Ça suffit, coupa-t-il froidement.

Comment pouvait-il se comporter avec honorabilité quand elle lui parlait ainsi, impudique et sincère ? Plus elle argumentait, plus il avait envie de la coucher parmi les fleurs sauvages pour la faire de nouveau sienne... Mais il n'en était pas question !

— Tu as une maison en Amérique, une existence vers laquelle tu retourneras.

— A la fin de l'été. Oui, tout cela m'attend, et je rentrerai à Nanticoke reprendre ma vie où je l'aurai laissée. Mais pendant mon séjour ici, je compte suivre exactement tes conseils pour mes vacances.

Il la foudroya du regard.

— Oserai-je te demander de me les rappeler ?

— Tu m'as dit de me détendre et de me faire plaisir. Et rien ne m'a été plus agréable que de faire l'amour avec toi.

Sa franchise le prit au dépourvu. Il avait l'habitude des femmes prudentes. Des femmes qui cachaient leurs émotions et dissimulaient leur cœur derrière des comptes bancaires et une vie sociale bien remplie. Alors, il ne savait que dire...

Puis il sentit la main de Diane sur son bras et baissa les yeux pour rencontrer son regard qui l'interrogeait.

— J'ai peut-être mal interprété ton attitude envers moi, dit-elle doucement. J'ai eu l'impression de vivre quelque chose d'unique, et j'ai supposé que ça l'était aussi pour toi. Mais je comprendrai si tu me dis que cette expérience t'a suffi.

— Il ne s'agit pas de ça, répliqua-t-il sèchement. Je ne suis pas en position, au palais, pour avoir une relation éphémère avec une invitée du roi. Je ne peux pas racheter mon erreur mais je peux éviter de la répéter.

Il entreprit de ranger les reliefs de leur repas dans le panier d'osier.

— Rentrons au château avant que ta sœur n'ait des soupçons, conclut-il.

Diane soutint son regard quelques secondes, puis hocha lentement la tête.

Thomas ne savait qu'ajouter. Il se sentait totalement impuissant. Donner de faux espoirs à Diane aurait été cruel. Ils avaient si peu en commun qu'une relation durable entre eux semblait impossible. En outre, les enfants avaient besoin d'un père, de quelqu'un sur qui compter. Il n'était pas cet homme et ne pourrait jamais l'être.

Il n'avait d'autre choix que laisser la place à un autre, meilleur que lui, un homme digne d'elle.


Diane passa les jours qui suivirent à visiter le château de fond en comble, explorant les innombrables pièces, des arrière-cuisines aux passages secrets, et elle prit tout son temps pour admirer les collections uniques de tableaux et de bibelots précieux. Parfois, Allison lui tenait compagnie et elles pouffaient comme deux gamines en imaginant les fantômes et autres légendaires chevaliers dont les ombres hantaient encore les lieux. D'autres fois, Diane préférait être seule pour arpenter les longs corridors de pierre tendus de riches tapisseries, ou rêvasser sur le balcon qui dominait la cour avec la ville à ses pieds et, au loin, les champs qui s'étendaient à perte de vue jusqu'aux montagnes enneigées. Elle avait gardé un souvenir vivace des mains de Thomas sur son corps, tour à tour tendres ou fiévreuses. Et quand elle fermait les yeux, elle arrivait presque à le sentir en elle...

Elle se culpabilisait de le désirer tant. Il gardait ses distances avec elle pour des raisons qu'elle ne comprenait pas vraiment, mais qu'il jugeait respectables. Comment pouvait-elle lui reprocher de faire passer l'honneur avant la passion? Si elle s'était sentie capable de le séduire, elle aurait probablement essayé. Puis elle s'en serait voulu de l'avoir fait manquer à sa parole. Pendant le trajet de retour au château ce jour-là, elle lui avait dit que leur merveilleuse étreinte lui suffisait pour une vie entière, même s'il ne devait jamais y en avoir d'autres.

Elle avait menti. Il ne se passait pas une heure sans qu'elle ait envie de lui.

Malgré ses doléances secrètes, le temps s'écoulait. Une autre semaine passa, et Allison la réquisitionna pour l'aider à organiser les somptueuses festivités commémorant l'arrivée au pouvoir de la dynastie von Austerand, quelque cinq cents ans plus tôt.

Un après-midi où une réception était organisée en l'honneur de dignitaires étrangers, Diane s'égara dans le palais et elle se retrouva dans une aile qu'elle ne connaissait pas. Revenant sur ses pas, elle se dirigeait vers la partie centrale du château quand elle capta un parfum familier. Immédiatement, son corps fut parcouru de sensations aussi troublantes qu'exquises. Elle s'arrêta devant une porte entrouverte.

Lentement, elle s'en approcha et l'odeur devint plus forte. Elle comprit soudain. Thomas.

C'était l'après-rasage de Thomas. Un subtil mélange de musc, de cèdre et de cuir. Elle respira avidement l'enivrant effluve, les jambes en coton. Des images l'assaillirent sur fond d'herbe verte et de ciel bleu. Elle revit

Thomas penché sur elle, sa chemise ouverte sur son ventre plat et dur, ses muscles contractés pendant l'amour, leurs corps vibrant en harmonie pendant qu'ils célébraient la plus ancienne cérémonie du monde... Elle ferma les yeux et frissonna.

Elle entendit une voix appeler Thomas et prit conscience avec un choc qu'il s'agissait de la sienne.

— Thomas ? répéta-t-elle plus doucement.

Elle espérait qu'il était chez lui, car elle était certainement tombée sur ses appartements. Son territoire. Le sanctuaire privé où il se réfugiait quand il n'était pas de service.

— Thomas ? appela-t-elle en frappant à la lourde porte de chêne. Tu es décent ?

De la musique lui parvenait de l'intérieur. Du jazz. La plainte basse et sensuelle du saxophone sur le crépitement joyeux du piano. Elle ignorait que Thomas aimait le jazz. Elle prit conscience qu'elle savait peu de choses sur lui. C'était un homme secret, qui ne choisissait de montrer de lui qu'une facette. Elle se demanda quels étaient ses goûts. Elle avait envie de parler avec lui comme ils l'avaient fait ce jour-là, en ville. Quel genre de cuisine aimait-il ? Préférait-il l'opéra au jazz ? Ses auteurs favoris étaient-ils Shakespeare ou Neil Simon ? En peinture, avait-il une prédilection pour Van Gogh ou pour Rembrandt ? Dormait-il en pyjama ou tout nu ?

Elle réprima un gloussement. Cette dernière question était un peu tendancieuse. Il valait mieux ne pas la lui poser.

— Thomas ?

Elle poussa la porte massive et entra.

Son appartement ressemblait en tout point au sien. Il se composait essentiellement d'une vaste pièce aux vieux murs de pierre enduits de plâtre, avec une cheminée

110

monumentale qui s'élevait jusqu'au plafond. Pour satisfaire aux exigences du confort moderne, une salle de bains avait été ajoutée, dotée de toutes les commodités fonctionnelles. D'un côté se trouvait un dressing, et de l'autre, une niche éclairée par trois fenêtres abritait un bureau massif pourvu de multiples tiroirs. Le lit ancien, énorme, était purement britannique et se dressait fièrement parmi de riches tapis d'Orient.

De toute évidence, Thomas n'était pas chez lui. Il valait mieux qu'elle parte.

Mais elle ne le pouvait pas. Trop de lui se trouvait là. C'était comme le quitter et, bien qu'elle ne manquerait pas d'en arriver là à la fin de l'été, elle ne parvenait pas encore à s'y résoudre.

Elle traversa lentement la vaste pièce et se dirigea vers le lit. L'intimité des objets personnels éparpillés sur la table de chevet d'acajou la toucha profondément. Une paire de lunettes de vue dont elle ignorait même l'existence. Un verre à demi plein d'eau. Un tube d'aspirine. Un volume de Goethe relié cuir rédigé en allemand ancien indéchiffrable pour elle. Elle caressa la couverture grainée du bout des doigts en imaginant la main de Thomas sur la sienne.

Près de la lampe de cuivre, il y avait trois photographies dans des cadres dorés. L'une représentait la famille royale, Jacob, Allison et leurs deux enfants. C'était un portrait officiel, mais l'étincelle malicieuse qui brillait dans les yeux de sa sœur n'échappa pas à Diane. Jacob se tenait à côté d'elle, et il donnait l'impression de tenir sa petite famille sous son aile protectrice. Diane sourit. Leur conte de fées avait connu le plus heureux des dénouements.

Les deux autres clichés étaient plus anciens. Ils remontaient à une trentaine d'années, à en juger par les vêtements portés et leurs couleurs fanées. L'une montrait un homme au teint pâle et au maintien aristocratique. Il regardait droit dans l'objectif avec une expression sévère. Bien qu'il ne ressemblât pas à Thomas, elle devina qu'il s'agissait de son père. Un homme sans cœur, qui n'avait pas hésité à envoyer son enfant vivre avec des étrangers. Elle savait que c'était la tradition dans l'aristocratie britannique. Néanmoins elle restait persuadée que certains parents devaient en souffrir. Pas cet homme. Son petit garçon ne lui avait pas manqué.

La dernière photo représentait une femme très belle, aux cheveux noirs et aux yeux sombres. Elle avait un long nez aquilin, un port de tête altier, des pommettes hautes et des épaules racées. La ressemblance était stupéfiante. Comme si Diane avait sous les yeux une version féminine de Thomas croqué par un talentueux artiste. Côte à côte, ils pouvaient difficilement renier leurs liens de parenté.

Elle prit le cadre et étudia le visage de la femme. Quelle sorte de mère pouvait abandonner trois fils et un mari et ne jamais revenir? Avait-elle été enlevée par quelque mystérieux amant? Avait-elle fui la dureté abusive de son aristocrate de mari, et ses avocats l'avaient-ils ensuite contrainte à renoncer à ses enfants?

— Qu'est-ce que tu fais? tonna une voix dure derrière elle.

Elle sursauta et faillit laisser échapper le cadre. Sur le seuil, Thomas la foudroyait du regard.

— J'étais juste...

— Donne-moi ça!

Il traversa la pièce en trois enjambées et lui arracha la photographie des mains.

— Excuse-moi, je ne voulais pas...

— Dehors! rugit-il. Sors de chez moi. Tu n'as aucun droit de toucher à mes affaires.

Elle tremblait tant qu'elle se sentait incapable de faire un pas sans trébucher. Mais l'accusation de Thomas faisait mal. Elle ne pouvait pas partir sans éclaircir la situation.

— Je ne voulais pas te perturber ni déranger tes affaires. Je me suis perdue dans les couloirs et je suis arrivée à ton appartement par hasard, dit-elle, hors d'haleine comme si elle venait de piquer un cent mètres.

Il la dominait de toute sa taille et la rage déformait son beau visage viril.

— Et je suppose que c'est aussi par hasard que tu es entrée pour fouiner dans mes affaires personnelles ?

— Non, je...

Il avança d'un pas. Elle recula de trois. Comme elle baissait machinalement les yeux vers la photographie qu'il tenait, une pensée insolite la frappa. La ressemblance physique entre la mère et le fils était évidente. Mais la comparaison s'arrêtait-elle là pour Thomas, ou croyait-il... ?

— Thomas, l'abandon n'est pas un caractère héréditaire...

Il lui lança un regard fulgurant. Il avait l'air menaçant, tourmenté.

— Sors d'ici ! gronda-t-il.

— Alors c'est vrai, n'est-ce pas ? Tu crois que parce qu'*elle* vous a abandonnés, toi et tes frères, tu ne seras pas capable d'assumer une famille, toi non plus.

Il ne répondit pas, mais ses yeux prirent des reflets d'obsidienne, noirs, incisifs, dangereux.

— Il y a une grande différence entre l'apparence des gens et leur âme, reprit-elle avec émotion. Ta mère et toi êtes deux individus dist...

— Laisse-moi seul ! tonna-t-il en fonçant sur elle avec fureur.

113

Elle recula, heurta le mur à côté de la porte, et s'empressa de se glisser par l'ouverture. La grosse porte aux lourdes ferrures se referma sur elle avec un claquement sourd, imprimant à jamais dans sa mémoire l'image brouillée par les larmes de Thomas blême de rage qui serrait les poings comme pour s'empêcher de la frapper.

Tremblant de tous ses membres, elle s'efforça de reprendre son souffle, choquée par la violence de sa réaction. Elle l'avait déjà vu perdre son sang-froid le jour où une meute de paparazzi avait fondu sur Jacob et Allison, peu après leur mariage. Et une autre fois, à l'aéroport de New York, quand une foule de curieux avait menacé d'étouffer Allison et les enfants dans leur enthousiasme. À plusieurs reprises, son instinct de protection s'était mué en rage. Mais jamais il ne l'avait regardée ainsi, comme si *elle* était l'ennemi.

Elle prit une profonde inspiration et, tournant les talons, elle remonta précipitamment le long couloir. Si elle n'arrivait pas à retrouver son chemin dans ce dédale de corridors, elle pourrait toujours attendre qu'un membre du personnel passe par-là. Mais pour rien au monde elle ne retournerait se renseigner auprès de Thomas !

Thomas se laissa tomber sur le bord de son lit et, jetant le cadre sur l'oreiller, il prit son visage dans ses mains. Depuis des jours, il luttait avec l'énergie du désespoir contre l'envie de revoir Diane. Il évitait les appartements privés de la famille royale pour ne pas tomber sur elle. Il se levait aux aurores pour travailler et ses diverses tâches s'achevaient tard dans la nuit. Et quand il était contraint de déjeuner avec la famille royale, il s'arrangeait pour entraîner Jacob et Allison dans une conversation d'affaires compliquée dont Diane était exclue.

Mais lorsqu'il l'avait trouvée près de son lit, là où aucune femme n'avait jamais eu accès, scrutant ses possessions les plus intimes, il avait complètement perdu la tête.

De quel droit s'ingérait-elle dans sa vie pour analyser ses faits et gestes? Il ne demandait qu'à être différent. Seulement voilà, il ne pouvait pas se changer! Il avait donc appris à accepter la solitude, en dehors de brèves liaisons avec de belles femmes de passage. C'était aussi proche du bonheur que possible, du moins du bonheur auquel il pouvait aspirer.

Mais Diane avait foulé aux pieds la froide logique sur laquelle il avait fondé sa vie. Avec impudence, elle lui avait déclaré qu'il n'était pas sa mère. Un bref instant, son cœur s'était surpris à espérer, mais il s'était vite ressaisi, et il se retrouvait plus tourmenté que jamais.

Diane savait que le grand bal marquant l'apogée des festivités de commémoration serait une épreuve pour elle. La salle de bal du château grouillerait d'éminents invités, de domestiques zélés et de membres de la presse triés sur le volet... mais, surtout, Thomas serait là. Elle avait le cœur brisé à la pensée que ce serait peut-être la dernière fois qu'elle le verrait, car elle avait décidé d'écourter ses vacances et de rentrer à Nanticoke dès qu'elle pourrait disposer de l'avion privé de Jacob. C'est-à-dire très vite, sans doute.

Ce soir-là, elle enfila avec soin la robe de satin champagne qu'Allison l'avait aidée à choisir chez un grand couturier français. Jamais Diane n'avait vu robe plus belle. L'étoffe lisse et moelleuse avait des reflets insaisissables. D'élégants godets partaient des hanches en s'élargissant gracieusement, donnant à la jupe un mouvement

fluide quand elle marchait. Laissant ses épaules dénu-
dées, elle était sans manche et se portait avec de longs
gants de même satin qui moulaient ses bras minces
jusqu'au coude et mettaient son buste joliment en valeur.

— Après la réception officielle, tu pourras les enlever,
lui suggéra Allison. Il est beaucoup plus facile de danser
sans gants. Personnellement, ils me font horriblement
transpirer.

Diane ne pensait pas avoir beaucoup l'occasion de danser ce soir-là mais, le moment venu, l'empressement des
nobles invités à l'entraîner dans une valse romantique ou
une polka effrénée ne manqua pas de l'étonner. Cependant, tandis qu'elle tourbillonnait sous les étincelants
lustres de cristal au bras d'un distingué partenaire après
l'autre, elle avait une conscience aiguë de la présence
imposante de Thomas que sa haute taille distinguait de la
plupart des invités. Il avait presque toujours une jolie
femme dans les bras, et celles qu'il n'avait pas l'occasion
de faire danser flirtaient avec lui sans vergogne.

Elle aurait aimé avoir une bonne raison de se sentir
agacée chaque fois que de beaux yeux se posaient sur lui,
mais elle était tristement consciente de n'avoir aucun
droit sur lui.

Quand elle partirait, il n'aurait aucun mal à trouver une
charmante compagne pour aller pique-niquer avec lui
dans le pré... Le cœur serré, elle se sentit incapable de
supporter cette pensée et, prétextant une migraine auprès
d'Allison, elle regagna son appartement pour être seule.
Elle devait préparer ses bagages. Dès qu'elle aurait fini sa
valise, elle se coucherait et essaierait de dormir.

Bien que se trouvant dans une aile éloignée de la salle
de bal, elle entendait distinctement les plaintes élégantes
des violons et les envolées majestueuses des valses vien-
noises... et elle revoyait Thomas dans son magnifique

116

smoking, si élégant, si différent des autres, et qui tenait dans ses bras une femme qui aurait dû être elle...

Elle éprouvait une tristesse infinie. Une profonde sensation de perte. Mais on ne pouvait lutter contre le destin...

Accablée, elle dégrafa la somptueuse robe de satin qui glissa à terre dans un bruissement soyeux. Elle la laissa là et alla prendre une douche rapide avant d'enfiler une chemise de nuit de coton. Quand elle émergea de la salle de bains, elle tressaillit. La haute silhouette de Thomas se dressait au milieu du séjour. Il avait ramassé la robe du soir qui formait une flaque pâle dans ses grandes mains brunes.

Elle déglutit et croisa les bras sur sa poitrine comme pour se protéger de son regard perçant. Elle se sentait incapable de parler. Le feu qui couvait dans ses yeux la laissait sans voix.

— Pourquoi pars-tu?

— J'ai la migraine. Je l'ai dit à Allison...

— Je ne parle pas du bal... mais de l'Elbie! grondat-il. Allison m'a dit qu'elle te soupçonnait de vouloir rentrer en Amérique plus tôt. Et voilà que tu as fait tes bagages. Pourquoi?

— J'ai des choses à faire.

— C'est à cause de nous, n'est-ce pas?

— J'ignorais qu'il y avait un *nous*.

Il lâcha la robe et s'approcha d'elle. Ses grandes mains enveloppèrent sa taille avant qu'elle ait le temps de réagir.

— Dans le pré, dans l'avion, chez toi... et avant cela, dans ma tête. Oui, il y avait un *nous*. Il est toujours là. J'ai voulu le chasser. J'ai essayé! Mais je ne peux pas contrôler ce que j'éprouve pour toi, Diane!

— Ça doit être effectivement très dur d'essayer de

m'oublier avec toutes ces jolies femmes dans les bras, commenta-t-elle, railleuse.

L'humour était sa seule défense. Si elle ne choisissait pas la dérision, elle savait qu'elle fondrait en larmes.

Il secoua la tête avec vigueur.

— Je devais être fou pour leur trouver quelque chose.

Le compliment doux-amer arracha un sourire à Diane. Mais quelle importance maintenant ?

— Je m'en vais, dit-elle doucement. Je ne peux pas continuer à entretenir ce simulacre de froide courtoisie. Et je ne crois pas que tu le puisses non plus.

Il la dévisagea, ses yeux sombres la suppliant de trouver une autre solution tout en sachant qu'il n'y en avait pas. Lentement, ses mains glissèrent de sa taille.

Elle ne savait plus que dire. Elle le désirait plus que tout au monde. Elle voulait son corps, son cœur, son âme même.

— Tu ne me touches plus, mais je sens encore tes mains sur moi, murmura-t-elle. Tout le temps...

Il ferma les yeux.

— Toutes les nuits, je brûle de venir te rejoindre dans ta chambre.

— Tu aurais dû le faire, souffla-t-elle.

Il détourna les yeux, comme si sa lumière le blessait.

— Ça cessera quand tu seras partie. Forcément.

Elle inspira lentement pour se donner du courage.

— Tu ferais mieux de t'en aller maintenant.

Un long moment, le temps parut suspendu. Ils ne bougeaient pas, ne respiraient pas. Même la musique lointaine se tut. Diane pouvait presque sentir le vieux château refermer autour d'eux ses pierres séculaires pour les isoler du monde.

Brusquement, Thomas la saisit dans ses bras. Il l'embrassa avec passion, la dévorant, la dégustant, comme un homme affamé avide d'assouvir sa faim et de faire des provisions pour l'avenir. Ses mains couraient sur elle et pétrissaient son corps à travers la chemise de coton, l'éveillant à de nouvelles envies, de nouveaux désirs.

Il la plaqua contre un des montants du lit et elle sentit le bois lisse dans son dos. Elle crut s'évanouir quand il glissa les mains sous sa chemise de nuit pour mouler ses fesses. Elle leva doucement le genou et il la caressa intimement pour porter son désir à son paroxysme.

Eperdu de passion, il lui prit la main et la guida vers son intimité. A travers le tissu lisse de son pantalon de smoking, elle éprouva la force de son désir, dur, brûlant. Elle le caressa amoureusement, savoura avec délice son contact à la fois puissant et doux sous sa paume.

Elle sourit en le voyant se débarrasser fébrilement de ses vêtements. Elle voulait dire quelque chose de sophistiqué, de sexy, de léger, mais les mots ne venaient pas. L'instant d'après, il lui enlevait sa chemise de nuit.

La pièce était fraîche en dépit de la chaleur estivale, et l'air frais sur sa peau nue lui coupa le souffle. Elle sourit et se colla à lui avec impudeur. La toison brune qui recouvrait son torse était douce contre ses seins. Il était si beau, si viril. Elle avait besoin de le toucher. Partout.

Il s'écarta le temps de prendre un petit paquet dans la poche de son pantalon et le lui tendit. Elle sortit le petit disque de latex et, d'une main tremblante, elle réussit à lui mettre le préservatif.

Elle le regarda d'un air interrogateur et le vit s'adoucir, apprivoisé par la confiance qui brillait dans ses yeux.

Tendrement, il la souleva dans ses bras et se pencha pour retirer le lourd couvre-lit. Les draps de lin immaculés crissèrent doucement sous le poids de la jeune femme quand il la coucha sur le lit. Elle noua ses bras autour de son cou musclé et il lui sourit en s'allongeant sur elle.

— Si j'avais le choix, je te ferais l'amour les trois prochaines heures, ou même jusqu'à épuisement, mais mon absence risque de se faire remarquer au bal, chuchota-t-il.

Elle acquiesça et soutint son regard, les yeux brillant de désir, tandis qu'il lui écartait doucement les jambes.

— Je ne voudrais pas qu'on me cherche et qu'on nous trouve ici...

Elle se cambra pour mieux l'accueillir.

— Je suis prête, monseigneur... Viens, maintenant...

— Vos désirs sont des ordres, madame.

Il s'enfonça en elle. Les bras autour de son cou, elle lui tendit ses lèvres et enroula ses longues jambes autour de ses reins pour l'attirer plus profondément.

Etouffant un soupir de satisfaction, il la fit sienne et ils s'abandonnèrent sans retenue aux vertiges du plaisir.

# 7.

Thomas attira Diane à lui et baisa tendrement ses lèvres légèrement entrouvertes dans le sommeil.

Comme elle s'agitait, il s'éloigna d'elle à contrecœur. Il aurait donné n'importe quoi pour rester, là, sous les draps frais, mais il avait quitté la salle de bal depuis plus d'une heure. Son absence ne passerait pas inaperçue et, si on remarquait aussi celle de Diane, les conclusions ne se feraient pas attendre.

— Où vas-tu? demanda-t-elle d'une voix endormie.

— Me montrer. Me faire voir d'Allison et Jacob. Je reviendrai dès que possible.

Elle ouvrit un œil.

— Je devrais peut-être...

— Inutile, ma Belle au bois dormant. Je présenterai tes excuses, si c'est nécessaire. Tu as dit à Allison que tu avais mal à la tête, c'est ça?

Elle acquiesça et se blottit sous les draps avec un soupir.

Thomas se rhabilla et passa la main dans ses cheveux pour les recoiffer. Son visage était encore un peu congestionné mais il ne voyait guère comment y remédier. Bah, quelques valses, et il pourrait toujours prétendre que la danse lui donnait des couleurs.

Il referma doucement la porte derrière lui et, guidé par les lointains accords d'une valse, il s'engagea dans le long dédale de couloirs qui menait à la salle de bal.

En deux ans, le vieux château ancestral avait singulièrement perdu de son austérité. En apportant une touche féminine au décor, Allison avait égayé les lieux et ressorti des oubliettes nombre de trésors familiaux qu'elle avait merveilleusement su mettre en valeur, au grand dam des assureurs et des vieux courtisans hostiles à tout changement.

C'était une reine très populaire et le peuple l'adorait. Jacob avait bien choisi son épouse. Thomas devait admettre que jamais il n'avait vu son ami aussi heureux et serein que depuis son mariage.

Il s'immobilisa sous l'arche qui séparait le salon de réception de la salle de bal et suivit des yeux les couples qui tournoyaient gracieusement au rythme d'une valse de Strauss, dans un tourbillon de couleurs et de lumières digne d'un tableau de Degas. Mais il avait l'esprit ailleurs... Il pensait au mariage.

Pourquoi des hommes comme son père, si férocement jaloux de leur indépendance, se donnaient-ils la peine de convoler et de procréer? Le comte de Sussex ne s'était jamais comporté en père avec ses fils. Même maintenant, il ne tolérait d'eux que de brèves visites. Christopher, le cadet, vivait en Ecosse à présent. Matthew, le deuxième, avait émigré aux Etats-Unis après avoir renoncé à tout espoir de se rapprocher de son père ou de ses frères. Quant à Thomas, il avait trouvé cette famille de substitution dans un autre pays.

Oh, il n'était pas malheureux de l'arrangement, songea-t-il, les yeux fixés sur Jacob et Allison qui trônaient sur l'estrade et regardaient danser leurs sujets d'un œil bienveillant, la main dans la main. Le roi et la reine avaient besoin de lui, l'appréciaient, et le traitaient en frère. Pourtant il lui manquait quelque chose. Thomas s'en rendait compte déjà depuis un certain temps. Sa vie était incomplète, même s'il ne savait pas vraiment en quoi.

Qu'importe. Pour l'instant, il fallait franchir le cap des prochaines heures. Après le départ des invités, il pourrait retourner auprès de Diane.

Il songea à son propre lit qui lui avait toujours paru parfaitement acceptable, même s'il ne l'avait jamais partagé avec personne. Il n'avait même jamais toléré la présence d'aucune femme dans *son* appartement. Il changeait ses draps lui-même et veillait à ce que son logement soit parfaitement tenu. C'était son domaine. Son sanctuaire. Mais à présent que Diane l'avait investi, les endroits où elle avait marché, les objets qu'elle avait touchés la lui rappelleraient toujours, comme si elle avait marqué les lieux d'une empreinte indélébile.

Comme il brûlait d'aller la rejoindre. Hélas, il devait rester. Et il cherchaient comment faire passer le temps plus vite.


Le rêve devint réalité aux premières heures de l'aube. Un moment, Diane se reposait seule dans le lit ancien de sa chambre. L'instant d'après, Thomas, dans tout l'éclat de sa nudité, la soulevait dans ses bras athlétiques comme si elle ne pesait pas plus qu'une plume.

Elle se sentit à la fois vulnérable et en sécurité, protégée de tout mal. L'esprit encore embrumé de sommeil, elle avait pourtant conscience de chacune de ses caresses, comme si l'acuité de ses sens était décuplée.

Chassant toute inquiétude pour l'avenir, elle savoura pleinement le moment présent. Et quand ils eurent fini de faire l'amour pour la seconde fois cette nuit-là, elle considéra comme autant de trésors les petits mots doux qu'il lui susurrait à l'oreille tandis qu'elle sombrait dans le sommeil.

Jamais elle n'avait été aussi heureuse.

Le jour pointait à peine quand Thomas s'étira, rappelant à Diane sa présence. Il s'empara de ses lèvres sans lui laisser le temps d'ouvrir les yeux.

— Il faut que j'y aille avant que toute la maison se réveille.

Avec un soupir, elle le lâcha.

Comme il hésitait, elle le caressa d'une main légère et pouffa.

— C'est ta raison qui parle. Ton corps, lui, dit tout autre chose !

Il posa sur elle ses yeux rieurs.

— Il refuse d'écouter la voix de la sagesse.

— Tu crois qu'il acceptera d'attendre ?

— Avec répugnance.

— Promets-lui un bon moment ce soir, pour l'aider à patienter.

Il sourit.

— Alors, viens dans mon appartement. Tu sauras le trouver ?

— Oui.

Il baisa tendrement ses seins et elle sentit une flambée de désir embraser son ventre. Mais Thomas s'obligea à se lever, et quelques minutes plus tard, dûment rhabillé, la veste de smoking sur l'épaule, il se glissait subrepticement hors de l'appartement.

**

Diane resta couchée parmi les draps froissés encore une demi-heure. Elle se sentait bien, vidée de toute tension, délicieusement lascive. Mais elle commençait à avoir faim, et la pensée de la pâtisserie fraîche et du bon café qui attendaient comme chaque matin sur le desserte de la salle à manger privée lui donnait l'eau à la bouche.

— Bon, très bien, je me lève...

Il lui fallut encore une vingtaine de minutes pour faire sa toilette et enfiler un pantalon blanc et un débardeur pastel.

Quand elle pénétra dans la salle à manger, seule Allison s'y trouvait.

— Bonjour, lança joyeusement Diane.

Elle avait l'impression que le monde resplendissait ce matin-là. Par la porte-fenêtre, elle apercevait les jardins royaux, et jamais elle ne les avait trouvés plus beaux avec leur orgie de fleurs rouges, bleues et roses nichées dans la verdure, et la luxuriante glycine dont les lourdes grappes mauves envahissaient la pergola.

Allison lui sourit.

— Ta migraine est passée ?

— Il ne m'en reste qu'un vague souvenir, répondit Diane, absorbée par le choix délicat d'un petit pain parmi les exquises pâtisseries exposées. J'ai regretté de rater la fin du bal.

Sa sœur hocha la tête et mordit dans un croissant aux amandes.

— Tu nous as manqué. D'autant plus que tu ne vas pas tarder à nous quitter...

Diane ne comprit pas tout de suite. Puis elle se rappela avoir fait part à Allison de sa décision de regagner le Connecticut. Mon Dieu, comme les choses avaient changé en quelques heures... Ce matin, elle ne se sentait plus capable de quitter l'Elbie, jamais.

— Je peux peut-être rester un peu plus longtemps, murmura-t-elle en se décidant pour un gros beignet aux framboises.

— Je sais que c'est difficile pour toi de retrouver cette maison que tu as partagée avec Gary... et puis il y a Thomas...

La phrase resta en suspens et Diane tourna vivement la tête vers sa sœur.

— Qu'a-t-il à voir là-dedans ?

— Je ne sais pas. Peut-être devrais-tu me le dire, répondit Allison en la regardant avec gravité.

Diane sentit un frisson glacé la parcourir. Comment Allison avait-elle deviné ? Elle s'empressa de se servir une tasse de café et s'assit.

— Ni Gary ni Thomas n'ont la moindre influence sur la date de mon départ, articula-t-elle d'un ton cassant.

— Alors tu n'essaies pas de te venger de ton sale type de mari en prenant Thomas comme amant ?

Leurs yeux se rencontrèrent. Horrifiée, Diane se détourna, incapable de répondre. Etait-ce ce qu'elle était en train de faire, en effet ? La suggestion de sa sœur était-elle juste ? Oh non, Seigneur, non, ce ne pouvait pas être que cela !

Allison repoussa une longue mèche blonde derrière son oreille.

— Vois-tu, je... j'ai vu Thomas quitter ta chambre ce matin.

Diane sentit son visage s'empourprer. Elle ne pouvait pas mentir à sa sœur, mais elle ne pouvait pas non plus lui dire la vérité. Elle ne doutait pas de sa loyauté envers elle, mais elle savait que jamais Allison n'aurait de secrets pour Jacob.

— Je... je ne sais pas quoi dire, souffla-t-elle.

— Thomas est un homme merveilleux, dit Allison, les

yeux fixés sur sa tasse. C'est un ami gentil, généreux, farouchement protecteur, et un grand allié pour Jacob, moi et les enfants. Nous l'aimons tous tendrement.

— J'en suis consciente.

— Je ne veux pas qu'il souffre. Mais...

Allison leva la main pour couper court aux protestations de sa sœur.

— ... Je sais que tu ne lui ferais pas du mal intentionnellement, Diane. C'est davantage pour toi que je m'inquiète.

Diane posa son beignet. Elle avait l'estomac révulsé.

— Je sais prendre soin de moi.

— Sûrement, à condition d'être en possession de toutes les informations nécessaires pour prendre une décision sensée.

— Que veux-tu dire ?

— Que tu ne connais pas bien Thomas. En revanche, Jacob est très proche de lui et il m'en parle beaucoup.

— Alors, informe-moi, dit Diane, impatiente d'apprendre tout ce qu'elle pouvait sur l'homme qui l'avait initiée à la passion.

— Tu te rends compte qu'il n'est pas un simple employé.

— Je sais qu'il est le fils d'un comte britannique, oui.

— Exactement. C'est un aristocrate à part entière qui porte le titre de comte de Chichester et qui deviendra comte de Sussex à la mort de son père. Sais-tu aussi qu'il est un des hommes les plus fortunés d'Angleterre ?

Diane lui jeta un regard surpris.

— Il travaille pour Jacob. J'imaginais qu'il avait besoin d'un emploi pour subvenir à ses besoins... ?

Allison secoua lentement la tête.

— Quand Thomas a atteint sa majorité, son père lui a remis son héritage. Une somme rondelette dans les six

127

chiffres, d'après Jacob. Ce legs était moins un témoignage d'amour qu'un moyen de trancher les quelques liens qui unissaient encore le père et le fils. Bye-bye, fais-toi une belle vie, ce genre de chose.

Diane en resta abasourdie.

— Quel cynisme !

— A nos yeux, oui. Mais, apparemment, Thomas n'attendait rien d'autre de son père. A l'époque, il était dans l'Armée britannique, dans un commando d'élite. Il n'avait pas besoin d'argent, et il a investi la plus grande partie de cet héritage dans une jeune société informatique qui est devenue une des affaires les plus florissantes du monde.

Diane commençait à se faire une idée de la situation.

Elle soupira.

— Oh, Seigneur... mais je ne comprends pas. Pourquoi Thomas travaille-t-il ?

Allison haussa les épaules.

— Il semble qu'il cherchait sa place, et il l'a trouvée auprès des von Austerand. Mais fondamentalement, c'est un solitaire. Et il le sera toujours.

— Mais il a une vie sociale. Il sort.

— Oh, oui. Il aime les femmes, admit Allison en riant. Seulement, sa vie privée est assez agitée. Nous ne voyons jamais ses petites amies. Quelques-unes ont été des invitées du palais qu'il a revues après, mais pas nous.

— Tu crains qu'il ne me laisse tomber ? demanda Diane.

— Je veux seulement que tu saches qu'il n'est pas le genre d'homme à rester longtemps avec la même femme ni à changer pour elle.

— Jacob l'a bien fait pour toi. Et c'était un play-boy invétéré.

Allison sourit.

128

— Oui, et je ne remercierai jamais assez le ciel qu'il se soit assagi pour moi et Carl. Mais ne te fais pas trop d'illusions au sujet de Thomas. Il a quarante ans de célibat derrière lui et des habitudes bien ancrées.

Diane songea à la répugnance de Thomas à révéler leur liaison.

— Comment Jacob réagirait-il s'il apprenait que je couche avec son premier conseiller?

Le visage d'Allison s'assombrit.

— C'est l'autre question dont je voulais te parler. Il tolère les discrètes aventures de Thomas à cause de leur passé commun, je suppose, mais aussi parce qu'elles n'interfèrent jamais ni dans notre travail ni dans nos relations. Thomas est à son service vingt-quatre heures sur vingt-quatre et Jacob dépend implicitement de lui.

— Je vois.

— Et ce n'est pas tout. On ne peut pas tolérer de liaison, au palais, entre un premier conseiller qui a accès à toutes les informations secrètes et une... étrangère à qui il aurait la faiblesse de se confier sur l'oreiller, dans un moment d'égarement et de lassitude. Tu as beau être ma sœur, tu n'es pas à l'écart de tout soupçon, c'est ainsi. L'Elbie est un petit pays, mais allié à de grandes puissances, et nous ne voulons pas d'intrigues politiques ni de complications diplomatiques. Les alcôves, hélas, en sont souvent source... Par souci d'impartialité envers ceux de ses employés qu'il a renvoyés pour indélicatesse ou indiscrétion, Jacob pourrait très bien demander la démission de Thomas s'il pensait que vous deux...

— Ça suffit, coupa Diane d'une voix blanche. Je comprends.

Et Thomas aussi, elle s'en rendait compte maintenant. Voilà pourquoi il était si réticent à avoir une liaison avec elle. Mais elle ne voyait pas ce qu'ils pouvaient y faire, maintenant. La pensée de renoncer à lui lui déchirait le cœur.

— Acceptes-tu de nous accorder quelques jours pour régler la question, avant d'en parler à Jacob?

Allison posa une main douce sur son bras.

— Bien sûr, dit-elle. Je suis désolée, Diane. J'aimerais savoir quoi dire ou faire pour arranger les choses. Je t'aurais avertie plus tôt si j'avais deviné que toi et Thomas...

— Je sais. J'ai été surprise, moi aussi.


Les jours qui suivirent furent doux-amers. Diane passait autant de temps que possible avec Thomas. Chaque fois qu'il pouvait s'absenter, il la rejoignait dans les jardins, les appartements privés du château, ou encore au village. Il avait le chic pour la trouver à tout moment, qu'elle se promène dans le parc ou fasse du lèche-vitrine.

Chaque soir, ils faisaient l'amour. Diane se demandait comment elle avait pu dormir seule et, avant cela, partager la couche d'un homme qu'elle n'aimait pas. Elle prit l'habitude de s'endormir blottie contre la poitrine de Thomas, la joue sur son cœur, la jambe enroulée autour de ses hanches. Couchée avec lui sous les draps frais, elle dormait si merveilleusement bien que, tous les matins, le réveil la prenait par surprise.

Pourtant, elle savait que le temps travaillait contre eux. Bientôt, Allison se sentirait obligée d'informer Jacob de leur liaison. D'ici là, elle devait absolument prévenir Thomas qu'Allison connaissait leur secret. Alors il déciderait de parler lui-même à Jacob, ou de rompre avec elle. Plus le temps passait, plus elle se rendait compte qu'elle ne pouvait différer indéfiniment son retour en Amérique. Mais c'était dur de renoncer au bonheur quand il avait mis si longtemps à venir.

Un jour, presque une semaine après le bal, Thomas la trouva dans la salle à manger privée. Il jeta un regard circulaire autour de lui pour s'assurer qu'ils étaient seuls et l'embrassa tendrement sur la joue.

— Jacob m'envoie te dire qu'il y a un appel téléphonique pour toi. C'est ta mère.

— Il s'est passé quelque chose... les enfants...?

— Ne crains rien, coupa-t-il avec un sourire rassurant. Jacob a parlé avec elle. Il semble qu'il s'agisse d'une bonne nouvelle, mais il ne m'a pas donné d'explication.

Elle sentit sa tension céder un peu. Une bonne nouvelle? Elle ne voyait pas ce que cela signifiait. A moins que Gary junior n'ait enfin appris à nager avec la tête sous l'eau, épreuve qui lui semblait insurmontable l'été précédent...

— Tu déjeunes maintenant? demanda-t-elle.

— J'allais m'y mettre, répondit-il en glissant ses bras forts autour de sa taille. Sauf si tu as une meilleure suggestion.

Elle rit.

— Je vais aller voir ce qui se passe en Floride et je reviens déjeuner avec toi, espèce de filou.

Elle sortit en coup de vent, émoustillée par son regard chargé de désir. L'escalier de pierre qui menait à l'étage supérieur où se trouvait le bureau de Jacob s'enroulait autour d'une colonne centrale ornée de gargouilles dans des poses bizarres. Elle sourit. Comme ses enfants se plairaient ici! Ils adoreraient explorer les couloirs interminables et les passages secrets qui débouchaient dans les innombrables pièces du château.

Jacob leva les yeux quand elle frappa à la porte du bureau. Il lui fit signe d'entrer, visiblement soulagé de lui passer le récepteur.

— Oui, madame Fields, elle vient d'arriver. Je vous laisse. A bientôt. Bonne santé à vous aussi.

Diane couvrit l'appareil d'une main.

— Elle vous a soûlé de paroles, n'est-ce pas ?

Jacob haussa les épaules avec fatalisme.

— Bonjour, maman, dit Diane en réprimant un sourire. Comment vont les enfants ?

— Oh, merveilleusement bien, ma chérie, ils s'amusent comme des fous. En un sens, je suis désolée de voir se terminer si vite leur séjour, mais je sais que c'est pour la bonne cause.

— Se terminer leur séjour ?

— Eh bien, oui. Gary ne t'a pas encore appelée ?

— N... non, articula lentement Diane avec un sentiment de malaise. Pourquoi l'aurait-il fait ?

— A vrai dire, je pensais... enfin, quand il a demandé de tes nouvelles et que je lui ai dit que tu étais en Europe chez ta sœur...

— Pourquoi a-t-il téléphoné, maman ? coupa Diane en s'efforçant de garder son sang-froid.

— Eh bien, j'ai cru comprendre qu'il voulait reprendre la vie commune avec toi.

— *Quoi* ?

Diane n'en croyait pas un mot. Sa mère était devenue folle.

— Enfin, il est quand même le père de tes enfants ! Il a un cœur, il a pu changer, vouloir se racheter et effacer ses erreurs passées !

— Il n'a jamais eu de cœur, maman.

— Voyons, Diane. Je sais qu'il n'est pas facile d'oublier ton amertume, mais...

— Mais rien, maman ! aboya Diane, ne pouvant plus se contenir davantage. Cet homme est incapable d'un sentiment sincère, du moins envers moi. Tu as dû interpréter ses propos.

— Ne veux-tu pas retrouver une famille unie?

Diane ferma les yeux, revivant tout, la culpabilité, la déception, la souffrance, le vide...

— Aucune famille n'a besoin d'un homme comme Gary Fields. Nous nous passerons fort bien de lui.

En raccrochant quelques instants plus tard, Diane dut se rendre à l'évidence : sa mère croyait bien faire, mais elle ignorait combien la vie avec Gary était impossible. C'était d'autant plus clair pour Diane maintenant qu'elle avait appris à vivre auprès d'un homme digne de ce nom. Thomas la faisait rire, sa seule présence la rendait heureuse. Il lui faisait connaître des plaisirs insoupçonnés et savait satisfaire la moindre de ses aspirations.

Mais elle pouvait difficilement expliquer cela à ses parents. Ils eussent été atterrés.

Elle soupira.

— Désolé, dit Jacob en levant les yeux vers elle. J'aurais dû vous laisser seule.

— Ça n'a pas d'importance. C'était juste une nouvelle tentative de ma mère pour nier mon divorce.

— Vous ne croyez pas que Gary l'a appelée?

— Oh, je ne doute pas qu'il l'ait fait, dit-elle avec un petit rire sans joie. Le problème est de savoir *pourquoi*. Je ne peux pas croire qu'après presque un an de séparation, il veuille subitement reprendre la vie commune.

— Peut-être est-il enfin revenu à la raison?

— Quelle raison?

On frappa à la porte entrouverte.

— Oui? s'enquit Jacob.

Thomas entra.

— Déjeunerez-vous en famille, monsieur, ou dois-je vous monter un plateau?

Il parlait à Jacob mais son regard ne quittait pas Diane.

— Je descends tout de suite, dit Jacob. Alors, Diane, que ferez-vous si votre mère a raison et que Gary veut se réconcilier avec vous ?

L'expression de Thomas demeura impassible mais elle perçut son émoi de manière presque palpable.

— Je lui dirai d'aller au diable.

— Je vous comprends. Je le vois mal changer, à ce stade. Enfin, si vous décidez de partir plus tôt, prévenez-moi pour que je charge Thomas de prendre les dispositions nécessaires.

— Merci.

Elle se détourna et, consciente du regard de Thomas sur elle, elle quitta la pièce. Elle était à mi-chemin du long couloir quand il la rattrapa.

— Que se passe-t-il ? demanda-t-il.

— Rien. Du moins rien qui nous concerne.

Il la scruta de ses yeux sombres, tourmentés.

— Je n'ai pas eu cette impression, répondit-il d'une voix tendue. Jacob a dit que ton ex-mari souhaitait une réconciliation. Je suppose que ça signifie qu'il veut regagner le domicile conjugal ?

— Ce qu'il veut n'a plus la moindre importance, dit-elle d'un ton sans réplique.

Il étudia son expression tandis qu'ils cheminaient côte à côte. Elle avait l'impression qu'il retenait son souffle. Soudain, elle sentit sa main frôler sa joue.

— C'est vrai ? s'enquit-il.

— Bien sûr ! s'écria-t-elle en se tournant vers lui. Je te l'ai dit, je ne l'aime pas.

— Néanmoins, tu n'as peut-être pas considéré la situation sous tous ses aspects.

L'irritation de la jeune femme tourna à la fureur. Comment osait-il lui dire ce qu'elle devait penser ?

— Tu dois avoir des choses une vision globale, reprit-il sans paraître remarquer son visage empourpré de colère. Toi et moi sommes totalement absorbés par une relation physique, une...

— Une aventure ? Est-ce donc tout ce que c'est pour toi ? Un des nombreux intermèdes de ton existence, bref et sans conséquence ? cria-t-elle, les yeux brûlants de larmes amères. Tu vas me dire de retourner vers lui, c'est ça ?

Il prit une profonde inspiration et soupira.

— Je t'exhorte seulement à te calmer et à réfléchir à ce que tu fais... à ce que *nous* faisons. Que vaut-il mieux pour les enfants, et pour toi, en fin de compte ? Voilà ce qui importe.

Glacée, elle recula comme s'il l'avait frappée.

— Non, tu ne penses pas à moi et mes enfants. Tu cherches à te défiler.

— Ce n'est pas vrai, Diane !

— Oh, si, murmura-t-elle douloureusement.

Elle voulut s'enfuir mais il lui agrippa le bras d'une poigne de fer. Soudain, elle se retrouva immobilisée, écrasée contre sa poitrine massive. Elle tenta vainement de se dégager.

— Ecoute-moi ! gronda-t-il. Ce n'est pas ce que j'aurais voulu, moi non plus, mais, de toute façon, tu pars dans quelques semaines, non ? C'est ce dont nous étions convenus. Nous savions que nous n'aurions au mieux que cet été. Puis tu rentrerais dans le Connecticut auprès de tes enfants pour commencer une nouvelle vie. N'est-ce pas ?

Comme elle ne répondait pas, il la secoua doucement.

— Oui ! murmura-t-elle d'une voix rauque.

— Gary est peut-être un imbécile de t'avoir négligée et de t'avoir quittée pour une autre, mais il est le père de tes enfants. S'il y a une chance pour qu'il change et...

— Non ! cria-t-elle.

— Ecoute ! tonna-t-il en la secouant de plus belle. Je sais que tu es forte et que tu pourrais te débrouiller seule. Mais les enfants ont besoin d'un père et il semblerait qu'il veuille retrouver sa place auprès de vous. Tu sais que je ne pourrai jamais t'épouser, jamais devenir ce que je ne suis pas. Si je pensais qu'il y a une chance, tu ne crois pas que j'essaierais ?

Elle détourna les yeux, incapable de soutenir son regard.

— Je... je l'ignore, dit-elle dans un sanglot. Lâche-moi, Thomas.

— C'est mieux ainsi, murmura-t-il tristement.

— Non. Non, ce n'est pas mieux, souffla-t-elle.

Il desserra lentement son étreinte. Elle se sentait tout étourdie et aurait désespérément voulu s'appuyer sur lui, mais ce n'était pas le moment de montrer la moindre faiblesse. Il était décidé à la laisser partir pour toujours, et cela faisait si mal qu'elle avait envie de hurler. Il acceptait de la laisser à un autre homme sans se battre, sans sourciller.

Elle recula d'un pas et, relevant la tête, elle s'éloigna avec dignité.

# 8.

Thomas ployait sous le poids d'un lourd fardeau. Jeter Diane dans les bras d'un individu qu'elle n'aimait pas sous prétexte que cela valait mieux pour tout le monde lui avait affreusement coûté. Mais avait-il le choix?

Gary n'avait apparemment pas été un mari modèle pour Diane, mais de leur histoire étaient nés trois enfants. Thomas pouvait la satisfaire au lit et lui offrir une vie de luxe. Mais combien de temps faudrait-il pour que, victime de son hérédité, il l'abandonne en lui brisant le cœur? Renoncer à elle était la seule solution digne, se répéta-t-il pour la centième fois. Elle devait retourner vers son monde tandis qu'il se consacrait à la vie qu'il avait choisie auprès de la famille royale.

Toutefois, le remords le rongeait sournoisement. Chaque fois qu'il se trouvait seul avec Jacob, il se sentait tendu. Il avait toujours été d'une honnêteté absolue envers le jeune souverain auquel il avait consacré son existence. Et ce soir-là, alors qu'il travaillait en tête à tête avec Jacob, il n'y tint plus.

— Il y a une chose que vous devez savoir, Votre Altesse.

Jacob ne leva pas les yeux de son élégant bureau, mais l'ombre d'un sourire retroussa ses lèvres racées.

— Ça a l'air sérieux... Tu as engrossé une comtesse ?

— Non, monsieur. C'est bien pire, je le crains.

Jacob leva la tête et scruta le visage grave de son ami.

— Tu te sens bien, au moins ? Ce n'est pas un problème de santé, j'espère.

— Rien de la sorte, monsieur.

Au contraire. Jusqu'à ce maudit coup de téléphone, jamais il ne s'était senti plus vigoureux, plus jeune, plus vivant de toute sa vie ! Diane était une véritable fontaine de Jouvence.

— Il s'agit de votre belle-sœur.

Le visage de Jacob devint dur comme la pierre.

— Qu'a fait Diane pour que tu te sentes obligé de la protéger ?

— Elle n'a rien fait, sinon être elle-même, je vous l'assure. Je... nous... nous n'avions rien projeté. Je reconnais être attiré par elle depuis notre première rencontre et, apparemment, je ne lui déplaisais pas. Quand vous m'avez envoyé aux Etats-Unis enquêter sur...

— Assez ! murmura Jacob, dents serrées.

Thomas se raidit, s'attendant au pire.

Le jeune roi se leva et regarda par la fenêtre qui donnait sur les jardins envahis par les ombres du crépuscule. Alors, seulement, Thomas remarqua les deux femmes assises sur un banc de pierre à la pâle clarté lunaire. Elles étaient absorbées par une discussion qui n'avait apparemment rien de réjouissant, à en juger par leur air sombre. Peut-être avaient-elles la même conversation qu'eux, songea-t-il avec ironie.

— Si tu veux me dire que tu couches avec ma belle-sœur...

— Monsieur, vous devez me croire, ce n'était pas une aventure irréfléchie, assura Thomas.

Les choses ne se présentaient pas bien du tout. Il devait

absolument garder la tête froide pour expliquer la tournure complexe des événements.

— Qu'était-ce, alors ? rugit Jacob en se tournant vers lui. Es-tu en train de me dire que tu as pesé toutes les conséquences avant de décider de coucher avec la sœur de la reine ?

— Non... enfin, oui, mais...

— A quoi diable pensais-tu ? Comme si Diane n'avait pas assez souffert ! tonna Jacob en le foudroyant du regard. Diane devait venir ici pour se détendre et recouvrer des forces afin de pouvoir mieux affronter cette période difficile de sa vie !

— Oui...

— Je voulais subvenir aux besoins de sa famille, mais elle est trop fière pour accepter la charité.

— Je sais, monsieur.

— Elle était vulnérable. C'est la dernière femme sur laquelle tu aurais dû jeter ton regard !

Thomas acquiesça tristement. Il n'ignorait rien de tout cela. Tout comme il savait d'avance que Jacob serait furieux en apprenant la vérité. Le roi avait un ton cinglant, un regard intraitable. Il ne faisait pas bon s'attirer les foudres du roi d'Elbie, même si on était son ami. Mais pour rien au monde Thomas ne lui aurait menti.

— Je suppose que tu ne lui as pas demandé de t'épouser ? demanda le roi.

Thomas leva les yeux, surpris par la question.

— Non, monsieur. Nos vies sont trop différentes...

— Elle a accepté de coucher avec toi sans rien attendre en retour ? Sans espoir d'avenir ?

— Nous sommes convenus qu'il s'agissait d'un consentement mutuel et provisoire. Je ne l'ai pas séduite, si c'est ce que vous pensez. Nous voulions...

— Oui, oui. Je connais le pouvoir du désir.

Thomas n'en doutait pas. Jacob avait collectionné les conquêtes féminines dans sa jeunesse. Cette vie de play-boy l'avait pleinement satisfait jusqu'à ce qu'il apprenne qu'il avait fait un fils à la jeune Américaine avec laquelle il avait eu une aventure. Et la jolie roturière blonde avait su l'apprivoiser.

Mais il ne voulait pas rappeler à Jacob cette époque trouble. Il espérait seulement que Jacob lui pardonnerait ce qu'il avait fait. Tout comme il priait pour que Diane lui pardonne de la laisser repartir.

— Je crois qu'il est temps que tu t'occupes du retour de Mme Fields dans le Connecticut, dit sèchement le roi.

— Oui, monsieur. C'est ce qu'elle souhaite aussi.

— Bien. Fais le nécessaire.

— Monsieur, vous devez comprendre que je ne voulais que...

— Epargne-moi ce couplet, coupa Jacob, mordant. Nous savons tous deux que ce n'est pas avec ta tête que tu pensais... Tu peux disposer.

Jamais Thomas ne s'était senti aussi minable. S'il avait fait preuve d'un minimum de tenue au lieu de laisser son corps lui dicter sa conduite, il n'aurait pas touché Diane.

Seulement... elle était si adorable et tentante, et elle avait tant besoin d'un homme...

Comment aurait-il pu ne pas répondre à son attente ?

Non, elle n'était pas une femme assoiffée de plaisir. Parmi toutes celles qu'il avait connues, elle était sensuelle, certes, mais unique, rare. Si une seule avait pu le retenir, c'était elle. Mais il ne devait pas oublier sa lourde hérédité : il était voué à l'échec, dès qu'il s'agissait de relation amoureuse durable...

— Monsieur, murmura-t-il, anéanti. Je vais immédiatement prévenir votre pilote.

— Et ne t'approche plus d'elle, c'est compris ? ordonna durement Jacob.

Le jour où Diane quitta l'Elbie fut le plus triste de toute son existence. En s'enfonçant dans le luxueux siège de cuir du jet royal, elle se maudit de sa naïveté. Une femme mariée et mère de trois enfants aurait dû faire preuve d'un peu plus de discernement dans ses relations amoureuses. Mais peut-être avait-elle été surprotégée par son mariage précoce et sa petite vie tranquille. Les femmes qui collectionnaient les expériences galantes ne se laissaient pas si aisément abattre par une rupture.

La désertion de Thomas lui brisait le cœur. La souffrance était physique, intolérable. Ses yeux brûlaient de larmes contenues. Mais quand l'appareil s'éleva au-dessus des cimes enneigées des montagnes d'Elbie, elle prit conscience que, jusqu'au bout, elle avait gardé l'espoir que Thomas trouverait un moyen de la retenir.


Les jours qui suivirent, elle s'efforça de retrouver ses marques dans son petit monde familier. Nanticoke était une jolie ville de Nouvelle-Angleterre au charme désuet, construite autour d'une église blanche et d'une petite place avec un kiosque à musique pour les concerts d'été, et un canon évoquant les patriotes tombés pendant la Révolution Américaine. Elle s'y était toujours sentie bien. C'est là qu'elle avait grandi avec Allison et qu'elle avait toujours pensé vivre.

Jusqu'à son séjour en Elbie. Jusqu'à ce qu'un homme hors du commun lui apprenne les émois d'un amour passionné.

Elle savait maintenant qu'il ne l'avait jamais vraiment aimée. Sa tendresse et son désir faisaient partie d'un rituel de séduction. Il avait connu de nombreuses femmes avant elle et en connaîtrait d'autres. C'était un solitaire, loyal uniquement envers Jacob. Dès qu'il avait vu une opportunité de la chasser de sa vie, il l'avait saisie au bond.

Elle déambulait dans sa petite maison en s'efforçant de se concentrer sur l'avenir. Les enfants ne rentreraient pas avant une semaine. Sa mère avait insisté pour les garder encore un peu avec elle en Floride. Ici, tout lui semblait petit, étriqué, ordinaire, après les longs couloirs de pierre et les grandes pièces du château remplies d'antiquités. Elle se rappelait la vaste salle le soir du grand bal, avec ces couples qui tourbillonnaient, et elle regrettait de ne pas avoir eu l'occasion de valser avec Thomas... puis elle s'en félicitait. C'était un souvenir de moins à oublier.

Elle buvait des litres de tisane en s'efforçant de penser à l'avenir, mais ne s'en sentait que plus désemparée. Le soir, allongée dans son lit, elle contemplait le plafond, et les larmes jaillissaient de ses yeux malgré ses efforts pour les contenir. De toute évidence, son départ ne comptait pas pour Thomas, alors que lui, il lui manquait atrocement.

Elle finit par rassembler assez d'énergie pour se mettre en quête d'un nouvel emploi. Elle répondit à plusieurs offres et prit rendez-vous pour des entretiens d'embauche. Puis elle procéda à un ménage approfondi de la maison et régla les factures qui s'étaient accumulées en son absence.

Sa mère appela deux fois pour lui demander si elle avait eu des nouvelles de Gary.

— Non, répondit froidement Diane. Pas un mot.

— C'est curieux, remarqua Margaret Fields. Il semblait si anxieux de te joindre. J'espère que tu seras gentille avec lui quand tu l'auras au téléphone.

— Maman...

— Tu peux être très sèche parfois, Diane.

Diane s'abstint de remarquer que cela n'avait rien de disproportionné envers le mari qui l'avait quittée pour une adolescente.

— J'ai des choses à faire, maman. Je te rappellerai. Embrasse les enfants pour moi.

Ce soir-là, comme elle réfléchissait à des possibilités d'emplois, elle se souvint d'une discussion avec Allison la veille de son départ d'Elbie, à propos des œuvres charitables parrainées par la famille royale.

— Tu pourrais envisager de rejoindre notre équipe internationale, avait dit Allison. Je sais que tu ferais du bon travail et tu adorerais cela.

Sur le moment, Diane avait pensé que sa sœur cherchait juste un prétexte pour lui donner de l'argent. Mais, maintenant, elle se demandait si elle n'avait pas repoussé un peu vite une offre d'emploi légitime, sans doute assortie d'un mode de vie meilleur pour ses enfants. D'un autre côté, travailler pour les œuvres de sa sœur lui imposerait de passer une grande partie de l'année en Elbie, donc de voir fréquemment Thomas. Non, elle ne pourrait pas le supporter.

Elle écarta fermement cette solution et se replongea dans les petites annonces locales. En attendant mieux, elle accepta un emploi temporaire dans un magasin d'alimentation pour être sûre de faire face au règlement de ses factures. Et quand les enfants rentrèrent de Floride, elle organisa ses horaires pour qu'Elly puisse les garder pendant qu'elle travaillait.

Un samedi, alors qu'elle regardait par la fenêtre de la cuisine, elle remarqua qu'un homme observait les enfants en train de jouer dans la cour.

Elle crut que son cœur s'arrêtait de battre. Thomas !

Mais ce n'était pas lui. L'homme était plus petit, moins athlétique. Que faisait cet étranger dans son jardin ?

Inquiète, elle bondit, descendit les marches quatre à quatre et se rua dans la cour. Avant même de se trouver devant lui, elle sut de qui il s'agissait. Gary...

— Que fais-tu là, Gary ?

Il se retourna et lui sourit.

— Bonjour, Diane. Les enfants ont l'air en forme ! Tout bronzés par le bon soleil de Floride !

— Réponds-moi, bon sang. Pourquoi es-tu ici ?

Il glissa un bras autour de ses épaules, et elle ne prit même pas la peine de le repousser.

— Ta mère m'a dit que tu étais partie en vacances, toi aussi. C'est une excellente idée. Tu méritais une pause. Le prince charmant t'a-t-il traitée en parente pauvre ou en sœur à part entière ?

— Jacob est roi d'Elbie, maintenant. C'est un homme aimable et chaleureux, un bon père et un mari aimant.

Gary éclata de rire.

— Il peut se le permettre, avec tous les millions qu'il possède !

— Pourquoi es-tu venu, Gary ? insista-t-elle.

— Pour voir mes gosses, bien sûr. Tu ne penses pas qu'ils me manquent ?

— Ils ne t'ont jamais manqué, avant.

Le sourire de Gary s'effaça pour laisser place à un froncement de sourcils théâtral.

— Tu as raison. Tu as absolument raison, Diane. Je ne savais pas ce que je perdais. J'aurais dû passer plus de temps avec eux.

Les deux petits garçons l'interpellèrent depuis le toboggan.

— Hé, papa, regarde !

Ils essayaient de capter son attention en glissant la tête la première. Gary agita distraitement la main dans leur direction et se tourna vers Diane.

— Le fait est que je me sens coupable de t'avoir laissée seule avec toute cette charge. Les gosses coûtent cher.

— Les enfants ont besoin qu'on s'occupe d'eux. L'argent n'a rien à voir là-dedans.

— Eh bien, oui... mais ça coûte cher de les nourrir, les habiller et tout le reste. De toute façon, j'ai réfléchi. Il serait anormal que je ne participe pas à leur entretien.

Il leva la main pour réfuter une objection qu'elle ne soulevait même pas.

— Je sais que nous avons légalement signé les papiers de divorce et que tu aimes te débrouiller toute seule. Mais il est juste que j'assume ma part.

Elle le regarda fixement. Quelque chose clochait. Elle ne l'avait jamais vu assurer la moindre responsabilité au sein de la famille. Il préférait jouer les piliers de bar, bien loin du domicile conjugal...

— Que considères-tu comme ta part? demanda-t-elle avec méfiance.

— Eh bien, ça dépend.

— De quoi?

— Vois-tu, je suis un peu serré financièrement en ce moment. Darlene et moi, on a fait ce qu'on a pu. Mais j'essaie de lancer ma propre entreprise de construction et toutes ces fichues banques exigent des garanties pour un prêt, or je n'en ai pas puisque tu as gardé la maison.

Un frisson glacé la parcourut.

— Tu ne nous prendras *pas* la maison, Gary.

— Ai-je suggéré une telle chose? s'écria-t-il d'un air ahuri.

— Que proposes-tu exactement?

Il l'embrassa sur le nez — geste qu'elle avait toujours

détesté car il y recourait systématiquement quand il se sentait coupable.

— J'ai juste besoin d'un petit financement de départ, dans les vingt, trente mille. Quand l'affaire marchera, je pourrai te verser une bonne pension alimentaire tous les mois.

— Je n'ai pas d'argent à te donner, tu le sais bien. J'espère que tu n'envisages pas d'en demander à Jacob !

— Bien sûr que non. Je voulais te prier de t'en charger pour moi.

Elle repoussa son bras sans ménagement.

— Il n'en est pas question.

— Voyons, Diane... sois raisonnable. Nous sommes une famille, non ? Toi et moi, on est peut-être séparés, mais j'ai été son beau-frère et il est normal qu'il...

— Non ! cria-t-elle.

Elle prit conscience que les enfants avaient cessé de jouer pour les observer. Elle détestait avoir cette discussion devant eux, mais il n'était pas question qu'elle joue le moindre rôle dans les arnaques de Gary. C'était un bon employé, mais elle le savait incapable de diriger sa propre entreprise. Si Jacob lui donnait de l'argent, il le claquerait en moins de six mois.

— Je suis sincère, Diane. Je te verserai une pension pour les gamins dès que je commencerai à faire des bénéfices.

— Viens voir les enfants tant que tu voudras, Gary, mais n'attends pas la moindre aide de moi ni de Jacob. Darlene et toi devrez vous débrouiller seuls !


Thomas ne descendit pas de voiture. Après deux semaines à fantasmer sur Diane, il avait fini par céder à l'envie de la revoir. Et quand Jacob avait évoqué un problème dans le cadre d'un programme humanitaire avec la branche new-yorkaise de la Fondation von Austerand, il avait proposé de partir sur-le-champ. Ils n'avaient pas parlé de Diane, mais Jacob avait hésité avant de donner son accord.

La veille du départ de Thomas, Jacob l'avait invité à fumer un cigare avec lui dans son cabinet privé.

— Je sais à quoi tu penses. Tu te demandes si tu pourras la voir pendant ton séjour aux Etats-Unis.

Thomas acquiesça.

— Croyez-moi, si je pouvais l'arracher de mes pensées, je le ferais.

— Elle est donc différente des autres...

— Aussi différente que le jour l'est de la nuit. Mais je ne veux pas la faire souffrir encore. Si je la vois, ce sera uniquement pour m'assurer qu'elle va bien et n'a besoin de rien.

— Je regrette d'avoir été aussi dur avec toi l'autre jour. Mais tu m'as pris au dépourvu.

— Je sais.

Jacob tira sur son cigare.

— Tu es sûr de ne pas vouloir l'épouser ?

— Le problème n'est pas ce que je veux, mais ce que je suis.

— Sais-tu vraiment qui tu es ?

Thomas le regarda fixement, étonné par la question.

— Peu importe, reprit Jacob, balayant la question d'un geste. Tu as le droit d'avoir une vie privée. Mais je ne veux pas vous voir souffrir, tous les deux, car vous m'êtes chers. Fais attention, mon vieil ami.

Thomas s'était juré d'être prudent. Il se contenterait de passer chez Diane pour s'assurer qu'elle avait trouvé un emploi et voir si elle s'était réconciliée avec Gary. Puis il s'en irait. S'il avait pu avoir une réponse franche par téléphone, il l'aurait appelée, mais il craignait qu'elle raccroche en entendant sa voix.

Il ralentit devant chez elle. La voiture de Diane stationnait dans l'allée et une camionnette était garée juste devant. Avec un sentiment de malaise, il passa lentement devant la maison et jeta un coup d'œil en direction de la cour où les trois enfants jouaient bruyamment, sous le regard attentif d'un couple. Un bras autour des épaules de sa compagne, l'homme parlait avec volubilité. La femme était Diane. Il l'aurait reconnue n'importe où. Il connaissait par cœur les courbes de son corps, le tomber soyeux de ses cheveux, les exquises rondeurs de ses hanches.

L'homme se pencha et l'embrassa.

Alors, Thomas sentit son corps se tendre comme un arc. Ses mains se crispèrent sur le volant, et il dut se faire violence pour ne pas bondir de la voiture et les séparer. Il ferma les yeux, le temps de maîtriser ses émotions.

Il n'aurait pas dû être surpris, pourtant. N'avait-il pas incité Diane à revenir auprès de Gary ? Il se maudit en silence. Nul autre que lui n'aurait dû avoir le droit de la prendre dans ses bras ! Jamais. Mais il était trop tard...

Fou de rage et de chagrin, il écrasa la pédale d'accélérateur et se dirigea vers la voie express. Il ne ralentit qu'en arrivant dans le centre de Manhattan, une heure plus tard.


Il lui fallut presque deux semaines pour régler le problème qui avait motivé son voyage. La Fondation von Austerand avait affecté des fonds à l'aide aux réfugiés du Moyen-Orient, mais on s'était rendu compte que les approvisionnements médicaux et alimentaires prévus n'avaient pas été faits. Sur place, Thomas chargea une grande société comptable d'enquêter sur l'affaire et, en

148

quelques jours, on découvrit qu'un cadre engagé un an plus tôt par Jacob avait détourné les fonds.

Heureusement, une grande partie de l'argent volé fut récupéré dans les quelques jours qui suivirent l'arrestation de l'employé indélicat.

Le lendemain, Thomas était libre de rentrer en Europe.

Il ne cessait pas de penser à Diane. Ce soir-là, il ne ferma pas l'œil de la nuit.

Le lendemain, dès 5 heures, il arpentait la plage de Nanticoke tandis qu'une aube grise se levait sur Long Island Sound. Il avait plu pendant la nuit et le sable était mouillé. Autour de lui, les mouettes peu farouches venaient picorer les débris abandonnés sur la grève pendant la nuit. Il se sentait seul, désespéré, à la dérive.

Une mince silhouette apparut au loin. C'était une jeune femme qui faisait son jogging, et sa queue-de-cheval se balançait gracieusement au rythme de ses foulées. Comme elle s'approchait, il reconnut Elly Shapiro, la baby-sitter des enfants de Diane. Elle sourit en le voyant.

— Vous faites de l'exercice, vous aussi ? demanda-t-elle, haletante, en sautillant sur place.

— Juste une petite promenade. Je suis désolé que votre séjour en Floride ait été écourté, Elly.

— Oh, ce n'est pas grave. Je vous remercie de m'avoir donné un plein salaire alors que je n'ai fait que la moitié du temps prévu. J'ai trouvé un autre emploi à mon retour à la maison. Je n'aurai aucun mal à financer mes études !

Elle sourit tout en continuant à sauter d'un pied sur l'autre.

— Comment vont Mme Fields et les enfants ?

— Très bien. Mais elle a du caractère, ajouta-t-elle avec un petit rire.

— Du caractère ?

— Oh, vous voyez ce que je veux dire, elle a son franc-parler et elle n'est pas commode, parfois. Pas avec moi, bien sûr. Mais je suppose que vous êtes au courant de ce qui s'est passé? s'enquit-elle, les yeux brillants, ravie de cette opportunité de colporter les derniers potins.

— Les Fields se sont remis ensemble? demanda-t-il sombrement.

— Bien sûr que non! M. Fields est venu un jour, apparemment tout miel, mais, en fait, il voulait faire chanter Mme Fields, murmura-t-elle d'un ton de conspirateur.

La faire chanter? Thomas se rembrunit. Ou cette fille avait une imagination débordante, ou Gary Fields était pire qu'un mari volage.

— De quoi parlez-vous, Elly? demanda-t-il.

— Le fils aîné m'a tout raconté. Son père veut créer sa propre affaire et il est venu demander de l'argent à Mme Fields. Elle a répondu qu'elle n'en avait pas, alors il lui a dit de s'adresser au roi puisqu'il était si riche, et Mme Fields l'a envoyé au diable! C'est *cool*, non? commenta-t-elle avec un sourire satisfait.

— Très *cool*, répondit Thomas, le cœur soudain plus léger.

# 9.

Diane débarrassait la table du petit déjeuner et les enfants venaient de monter s'habiller quand le carillon de la porte retentit. Elle consulta la pendule. Il était à peine 7 heures, un peu tôt pour avoir déjà la visite des enfants du voisinage. Les sourcils froncés, elle jeta un coup d'œil par la fenêtre de la cuisine et vit Elly, toute pimpante en survêtement rose.

— Bonjour, madame Fields, nous venons vous accorder une pause, dit joyeusement la jeune fille en pénétrant dans la pièce.

*Nous ?* C'est alors que Diane remarqua la haute silhouette de Thomas derrière elle.

Elle lui jeta un regard froid.

— Tout va bien, Elly, dit-elle. Revenez à midi, comme prévu.

— J'ai demandé à Elly d'emmener les enfants à la plage ce matin, intervint Thomas en entrant dans la cuisine malgré l'obstruction de Diane. J'espère que tu n'y vois pas d'inconvénient.

— C'est encore Jacob qui t'envoie ? s'enquit-elle sèchement.

— Je suis effectivement en mission pour lui, mais pas auprès de toi.

— Va-t'en, Thomas. On ne va pas recommencer...

Il l'ignora.

— Elly, vous savez où trouver les affaires de plage des enfants?

— Oui, monsieur.

— Alors, allez les aider à mettre leur maillot et foncez à la mer. Voici de quoi leur acheter un sandwich s'ils ont faim.

Diane lui jeta un regard horrifié.

— Ecoute, je ne veux pas de ton aide. Nous nous débrouillons très bien tout seuls.

Elly sortit et, quelques instants plus tard, ils entendirent de joyeuses exclamations saluer son arrivée. Il se tourna vers Diane.

— J'ai cru comprendre que tu n'avais pas repris la vie commune avec Gary.

— N'est-ce pas ce que je t'avais dit en quittant l'Elbie?

— Je sais, mais... je pensais que tu retournerais quand même vers lui.

— Jamais de la vie.

Il sourit.

— Bien. Elly m'a dit que tu avais trouvé un emploi?

— C'est exact. J'ai la sécurité sociale, les congés payés...

— Et un salaire minimum?

Elle le toisa sévèrement.

— Mes revenus ne regardent que moi. Personne d'autre.

— Suffisent-ils pour entretenir quatre personnes?

Elle ouvrait la bouche pour le remettre vertement à sa place quand les enfants firent irruption dans la cuisine, les bras chargés de jeux de plage.

— On y va! lança Elly et, avec un clin d'œil de

152

conspirateur à Thomas, elle poussa les trois bambins vers la porte.

Diane attendit à peine qu'elle se fut refermée derrière eux pour fondre sur Thomas.

— Tu n'as aucun droit de débarquer chez moi, de commander mes enfants et de critiquer mes choix !

Il lui sourit.

— Je suis ton ami, Diane. Ne veux-tu pas me laisser t'aider ?

Elle secoua la tête, si furieuse qu'elle avait du mal à parler. Le pire, c'était qu'en dépit de son envie de l'étrangler, elle se sentait subjuguée par lui. Elle avait oublié — ou plutôt elle avait essayé d'oublier — combien sa présence emplissait une pièce, rendant tout le reste insignifiant. Son regard sombre accrocha le sien et elle fut incapable de détourner les yeux.

— Je ne crois pas que nous puissions être amis, Thomas.

— Non ?

— Non.

— Pourquoi ?

— Parce que... parce que...

« Parce que je t'aime, espèce d'idiot, et que je ne supporte pas que tu ne partages pas mes sentiments ! » voulut-elle crier.

— Parce que ça ne marchera pas.

— Parce que nous avons fait l'amour ensemble ?

— C'est une raison. Maintenant, veux-tu t'en aller, s'il te plaît ?

Elle se détourna, mais il fut près d'elle en deux enjambées et l'obligea à lui faire face. Son visage était sombre, menaçant. Il semblait exaspéré qu'elle refuse de l'écouter, puis elle vit passer dans son regard quelque chose qui l'effraya encore plus.

— Non... Oh, Thomas, n'y pense même pas !

Il ne répondit pas, se contentant de la dévorer des yeux. Et, mû par une tranquille détermination, il s'inclina et s'empara de sa bouche pour un long baiser voluptueux.

Elle entrouvrit les lèvres en soupirant. Dieu, qu'il lui avait manqué !

— Tu m'as tant manqué, murmura-t-il en écho à ses pensées.

Elle acquiesça en silence.

— Ne renonçons pas encore, reprit-il d'une voix enrouée par l'émotion. J'ai pensé... pourquoi pas une relation à distance ? Je viendrai chaque fois que je pourrai. Je dirai à Jacob et à ta sœur que je prendrai soin de toi, ce sera presque comme si nous étions mariés.

— Presque, murmura-t-elle, étourdie.

— Tu ne seras plus obligée de travailler, sauf si tu le désires. Je prendrai tous tes frais en charge, je t'achèterai une maison plus grande, où tu voudras.

Elle soupira.

— En somme, tu veux faire de moi une femme entretenue.

— Ce n'est pas ce que je veux dire, et tu le sais.

Elle réfléchit à ce qu'il venait de dire.

— Jamais un tel arrangement ne me conviendra, Thomas. Quoi, une longue liaison avec un homme qui ne m'aime pas ?

Elle plongea son regard dans ses yeux sombres, guettant le signe qu'elle espérait, attendant les mots qui changeraient tout.

Il ne les prononça pas.

Trois mots simples, et il ne pouvait pas les dire.

Elle sentit son monde s'effondrer.

— Je suis désolé, Diane. Je t'ai dit qui j'étais.

— Je sais.

Elle se dirigea vers le comptoir et s'y appuya de crainte que ses jambes ne la trahissent. Ils avaient failli reprendre leur liaison passionnée là où ils l'avaient laissée, mais ni son cœur ni son âme ne se satisfaisait d'une telle relation. Cependant, c'était tout ce qu'il était disposé à lui donner.

— Tu ferais mieux de partir maintenant, murmura-t-elle.

Si les deux mois qui suivirent furent éprouvants pour Diane, elle parvint tant bien que mal à faire bonne figure pendant la journée. Elle continua à chercher un emploi et reçut même quelques propositions qu'elle fut cependant contrainte de décliner car elles exigeaient d'elle de longs trajets, au détriment de sa vie familiale qu'elle tenait malgré tout à préserver. Elle investit donc toute son énergie dans son travail au magasin, et ses efforts se virent récompensés quand elle fut promue au poste de directrice adjointe.

C'étaient les nuits les plus dures. La solitude lui pesait encore davantage depuis son aventure avec Thomas. Elle n'avait personne avec qui partager ses menus triomphes ou ses petits soucis de la journée. Elle bavardait avec Allison au téléphone au moins une fois par semaine et sentait que sa sœur évitait de parler de Thomas. De son côté, Diane aurait préféré mourir que demander de ses nouvelles.

La fin septembre approchait quand elle commença à avoir des soupçons. Son cycle menstruel avait toujours été imprévisible. Aussi ignora-t-elle les caprices de son corps pendant tout l'été jusqu'à ce jour d'automne où elle prit conscience qu'elle n'avait pas eu de véritables règles depuis presque trois mois.

Cela ne pouvait quand même pas signifier qu'elle était... Non ! Absolument pas ! Elle n'avait eu de rapports qu'avec Thomas et ils s'étaient toujours protégés. Du moins presque toujours... L'estomac noué, elle revit soudain le pré ensoleillé. Il y avait ce jour où ils avaient fait l'amour pour la première fois.

Le lendemain, elle alla à la pharmacie acheter un kit de test de grossesse. Pendant sa pause, elle utilisa la première bandelette. Le test se révéla positif. Attribuant le résultat au hasard, elle essaya la deuxième bandelette du paquet. Positif.

Oppressée, elle s'efforça de ne pas céder à la panique tout l'après-midi. En rentrant chez elle le soir, elle attendit que les enfants soient couchés pour faire le dernier test.

Avec un soupir, elle s'assit sur le rebord de la baignoire et scruta la bandelette colorée. Elle ne pouvait plus nier l'évidence. Elle toucha ses seins. Ils étaient sensibles, tendus. Elle ferma les yeux. C'était donc bien cela... Mais, curieusement, elle n'éprouvait aucune tristesse. Oui, il y aurait un autre enfant. Mais elle avait toujours adoré sentir croître en elle une petite vie. Et ce bébé serait spécial. L'enfant de Thomas.

Elle ferait face à la situation.

— Vous avez un appel de *Frau* Fields, des Etats-Unis, annonça la secrétaire à Thomas par l'Interphone dans un allemand incisif.

Le cœur de Thomas bondit dans sa poitrine.

— Passez-la-moi, dit-il en s'efforçant de maîtriser le tremblement de sa voix.

Quand le téléphone sonna, il prit une profonde inspiration et décrocha.

— Bonjour, Thomas, c'est Diane.

Elle n'avait pas besoin de se présenter. Il aurait reconnu sa voix n'importe où.

— Oui, Diane. Comment vas-tu? s'enquit-il, s'obligeant à une politesse distante.

— Plutôt bien, répondit-elle après une légère hésitation. Je voulais savoir quand est prévu ton prochain voyage aux Etats-Unis.

Le cœur de Thomas manqua un battement. Elle l'avait repoussé, mettant un point final à leur histoire. Se pouvait-il qu'elle ait reconsidéré la proposition qu'il lui avait faite?

Il s'éclaircit la gorge.

— Il est possible... hum, que je m'y rende le mois prochain. Je n'ai pas encore fixé les dates.

— Je vois.

— Il y a un problème?

— Non, ce n'est pas ça. J'aimerais seulement te parler de quelque chose qui nous concerne tous les deux. Je préférerais ne pas le faire par téléphone.

C'était donc cela! Elle voulait renouer avec lui, *aux conditions qu'il avait fixées*! Mais elle tenait à négocier les détails, sans doute pour se protéger. C'était parfait, en ce qui le concernait.

— Je m'arrangerai pour achever mon voyage à Nanticoke. Samedi prochain est-il assez tôt pour toi?

— Oui. Appelle-moi pour me faire savoir ton heure d'arrivée.

Il adorait le doux timbre de sa voix, si apaisant, si sage.

Hélas, elle raccrocha avant qu'il ait pu lui dire combien il était heureux de la retrouver.

C'était un jour d'automne typique de la Nouvelle-Angleterre, gris, pluvieux, balayé par un vent marin mordant. Thomas gara sa voiture de location devant la maison de Diane et frappa à la porte de la cuisine. Elle ouvrit presque immédiatement.

Elle portait une grande chemise d'homme sur son jean, et ses cheveux sombres étaient attachés sur la nuque par un de ces petits colifichets en tissu extensible qu'Allison appelait *chouchous*. Elle avait la fraîcheur d'une fleur printanière, les joues roses et luisantes comme une belle pomme croquante. Il crut voir de la tristesse dans ses yeux mais, dans quelques minutes, ils retrouveraient leur gaieté grâce à lui, et il s'en réjouit.

— J'ai préparé du café, dit-elle en s'écartant pour éviter les bras qu'il lui tendait. C'est du déca.

— Parfait.

Il prit place à la table, résigné à attendre qu'elle soit prête. Il aimait l'atmosphère douillette de la cuisine décorée dans des tons jaune vif, avec des motifs de tournesols sur les maniques, les torchons, les magnets éparpillés sur le réfrigérateur. Il pourrait se sentir bien dans une pièce comme celle-ci, avec elle... et il le serait aussi souvent qu'il pourrait.

Il réprima un sourire à la pensée des heures qu'ils allaient passer ensemble à rattraper le temps perdu dans la chambre de Diane. Les enfants n'étaient pas là. Elle avait dû les envoyer quelque part avec Elly. Il songea au moment où elle enlèverait sa chemise bien repassée pour lui, et il sentit son ventre se durcir.

Diane déposa une tasse de café fumant devant lui, avec un plat de muffins tout frais.

— Je suis content que tu aies changé d'avis, dit-il doucement. Tu m'as manqué.

Elle s'assit, les sourcils froncés.

— Toi aussi tu m'as manqué, Thomas. Mais avant que tu ne poursuives, il faut que je te dise quelque chose.

Il sourit complaisamment.

— Je t'écoute.

Rien ne pouvait ternir son humeur. Rien. Il avait retrouvé Diane, sa Diane.

— J'attends un enfant de toi, Thomas.

Il crut avoir mal entendu. Il y avait un étrange effet d'écho dans cette cuisine. Mais peut-être était-il si heureux de la revoir que son imagination lui jouait des tours.

— Tu as entendu? demanda-t-elle.

— Je... eh bien, je n'en suis pas sûr, dit-il avec un sourire crispé.

— J'ai dit que j'étais enceinte de toi.

La tasse de café se mit à trembler dans la main de Thomas.

— C'est impossible.

— Je le pensais aussi.

Elle lui expliqua sa théorie sur le moment possible de la conception. Hébété, il l'écouta en silence.

— Tu as vérifié auprès d'un gynécologue?

Elle acquiesça, les yeux fixés sur les volutes odorantes qui s'élevaient de sa tasse.

— Je suis enceinte d'un peu plus de trois mois. Le bébé devrait naître en mars. Le vingt, si le terme est bon.

— Seigneur...

Elle releva vivement la tête, les yeux brillant d'une colère soudaine.

— C'est tout ce que tu as à dire?

— Je suis juste... C'est une telle surprise. Je suis désolé, je...

Elle balaya ses excuses d'un geste et ses yeux s'adoucirent.

— On ne peut pas dire que je t'aie appris la nouvelle avec ménagement. Ecoute, ce n'est pas une catastrophe. Je me sens bien. Mieux que bien. J'adore les enfants, et quatre ne demanderont pas plus de travail que trois. Et les aînés pourront m'aider, ajouta-t-elle avec une énergie croissante. Evidemment, il faudra du temps à mes parents et à Jacob pour digérer la chose, surtout quand ils sauront qui est le père. Allison me soutiendra quoi qu'il advienne, mais le roi...

— Tu as l'intention de le dire à Jacob ?

— Bien entendu. Crois-tu que je veuille cacher une chose pareille à ma famille ?

Thomas posa sa tasse et passa une main dans ses cheveux.

— Non, bien sûr... Excuse-moi, je ne sais pas à quoi je pensais.

Il soupira. Elle portait un enfant, son enfant. Il était responsable et ne se déroberait pas à ses devoirs — mais quel sermon il allait devoir subir de la part de Jacob !

— Il va de soi que je ferai le nécessaire pour toi et l'enfant. Nous pouvons nous marier dès que tu...

— Non ! coupa-t-elle vivement. Il ne s'agit pas de te contraindre au mariage.

— Mais tu... le bébé doit... d'ailleurs le roi va exiger...

Les mains crispées sur la table, elle le regarda droit dans les yeux.

— Je ne veux pas d'un mari lointain... ni d'un petit ami. Que le roi en pense ce qu'il veut ! En revanche, j'ai besoin qu'on m'aide à payer mes frais médicaux. Ça me semble juste, qu'en penses-tu ?

Il hocha la tête avec empressement.

— Absolument...

— Tenons-nous-en à cela, coupa-t-elle sèchement. Voilà ce qu'on va faire...

Thomas quitta la petite maison du Connecticut dans un état second. Il avait appris à accepter les caprices de l'existence, ses désillusions, même son sens de l'humour parfois cruel. Mais s'entendre dire qu'il allait devenir père — éventualité qu'il avait fuie comme la peste toute sa vie d'adulte — était un choc dont il allait avoir du mal à se remettre !

Cependant, de tous les sentiments qui l'assaillaient, l'admiration pour Diane dominait. Il ne lui en voulait pas de lui avoir nonchalamment annoncé son intention de crier sur les toits qu'il lui avait fait un enfant. Il trouvait normal qu'elle lui demande de l'aider à couvrir les dépenses occasionnées par le bébé. Et il lui avait dit que même si elle refusait sa proposition de mariage précipité, il subviendrait à ses besoins et ceux de tous ses enfants aussi longtemps qu'elle le souhaiterait.

Fièrement, elle avait rejeté son offre.

Sa force et sa détermination à garder l'enfant de Thomas et à l'élever avec autant d'amour qu'elle en avait prodigué aux trois autres le touchaient profondément. C'était comme si une part de lui était chérie, dorlotée, aimée. Et ce sentiment si nouveau pour lui le bouleversait.

Il passa le voyage de retour absorbé par ses pensées. Il s'assoupit un moment dans l'avion. Mais la plupart du temps, il songea à Diane, les yeux fixés sur le hublot. Il imagina son joli corps se gonflant lentement tandis que l'enfant grandissait en elle. Elle devenait plus belle de jour en jour. Et le bébé serait fort et en parfaite santé, nourri du corps de Diane... comme Thomas s'était nourri de son amour.

*L'amour*, songea-t-il. Le mot l'avait toujours rendu perplexe. Mais maintenant, jamais il n'avait été aussi près d'en comprendre la signification.

Il revit les yeux voilés de larmes de Diane quand elle lui avait dit au revoir sur le pas de la porte en lui tendant ses lèvres pour un chaste baiser. Il savait maintenant ce que signifiait ce regard. Elle l'aimait, même si son orgueil l'empêchait de l'avouer.

Elle l'aimait. Et elle portait son enfant.

Mais qu'éprouvait-il pour elle en dehors du respect légitime dû à la mère de son enfant? La désirait-il encore?

Absolument.

Y avait-il autre chose derrière? L'aimait-il, lui aussi?...

Il chassa cette pensée troublante. Que l'amour ait ou non un rapport avec sa situation présente, son premier devoir restait de servir la famille royale. Il ne pouvait pas éluder cette responsabilité. Et le fardeau de son passé pesait toujours sur ses épaules : il n'en demeurait pas moins le fils de sa mère. Comment pouvait-il promettre d'être toujours là pour Diane et leur bébé alors qu'il savait au fond de son cœur qu'il était condamné à les abandonner un jour?


L'aube pointait quand l'avion atterrit à l'aéroport de Vienne. L'hélicoptère de Jacob le déposa à l'héliport du château et il traversa à pied une partie du parc où Allison jouait avec les petits princes. En passant, il tapota affectueusement la tête des enfants et adressa un sourire crispé à Allison avant de s'engager dans l'allée qui menait au château. Il trouva Jacob dans son bureau, absorbé par la revue de presse.

— Ah, te voilà de retour, dit-il en repliant le quotidien qu'il lisait.

— Oui, répondit Thomas.

Il avait demandé à Diane de le laisser apprendre la nouvelle lui-même à Jacob. Il avait envisagé maintes façons d'aborder le sujet, mais il les avait toutes oubliées. Il opta pour un bredouillage incohérent.

— J'ai revu Diane, monsieur. Non, je n'ai pas fait l'amour avec elle, mais ce que j'ai à vous dire est... enfin, ça a un rapport avec... Hum. Ce ne sera facile pour personne, monsieur, mais la réalité est incontournable.

Le journal dans les mains, Jacob leva vers lui un regard perplexe et Thomas se lança.

— Elle est enceinte, monsieur. Le bébé est de moi.

Voilà. Il l'avait dit. Il ne méritait sûrement pas un prix d'éloquence pour cela mais, au moins, c'était fait.

— Mes félicitations, maugréa Jacob d'un ton réprobateur.

— Jamais je n'ai voulu causer à Diane le moindre tort. Mais le fait est là. Elle est enceinte de trois mois et je suis le père. Elle va garder le bébé et je l'aiderai à subvenir à ses besoins. Je jure qu'elle et l'enfant ne manqueront jamais de rien.

Le visage crispé, Jacob ne parla pas tout de suite. Comme il ouvrait la bouche, Thomas devança ce qu'il allait dire.

— Je lui ai demandé de m'épouser. Elle a refusé.

— Evidemment qu'elle a refusé ! rugit Jacob.

Thomas le fixa, bouche bée.

Comment cela, *évidemment* ? Etait-il donc un si piètre parti ?

— Si ta demande en mariage ressemblait au prêchi-prêcha débile sur le « devoir », comme celui que tu viens de m'assener pour te justifier, que voulais-tu qu'elle fasse d'autre que refuser ?

Thomas lui jeta un regard empreint de confusion.

— Je suis désolé, monsieur. Je ne comprends pas.

Jacob bondit de son fauteuil pour arpenter la pièce.

— Lui as-tu dit que tu l'*aimais* ?

— Heu, non, je...

— Et que tu voulais passer ta vie avec elle ?

— Non plus...

— Pourquoi ? Tu tiens à elle, n'est-ce pas ? Pourquoi ne peux-tu pas lui *dire* ce que tu éprouves, Thomas ?

Thomas se réfugia dans ses réflexions. Il tenait à Diane, en effet. Et ce depuis toujours, depuis leur première rencontre, maintenant qu'il y pensait. Jamais il n'avait été plus heureux que quand il était près d'elle. Il aimait ses trois bambins, et il savait d'instinct qu'il chérirait l'enfant qu'ils avaient fait. Mais l'*aimait*-il, elle ? Etait-il seulement capable de reconnaître l'amour en lui, même s'il s'y était logé ?

— Je m'interroge peu sur mes sentiments, monsieur, vous le savez bien. Je mesure mon bonheur à l'étalon du sens des responsabilités et du devoir.

— Eh bien, il est peut-être temps d'apporter certains changements à ta psychologie ! fit remarquer Jacob. Tu as un cœur, Thomas. Apprends à ta tête à dialoguer avec lui.

Thomas s'étonna comme si le roi l'avait frappé.

— Monsieur ?

— Ça t'a peut-être échappé, mais le play-boy que tu avais l'habitude de ramener très éméché des night-clubs à la mode a lui aussi, un jour, opéré ce genre de changement...

— Bien sûr, commenta Thomas avec un rire crispé.

— Ce même play-boy a mûri, il est devenu roi et non seulement il n'a plus besoin que son fidèle ami veille sur lui les soirs de fiesta, mais il a à sa disposition une douzaine de gardes du corps et de secrétaires particuliers.

— Est-ce à dire que... vous me congédiez ?

— Je tiens à te garder comme ami et frère spirituel, expliqua Jacob en s'immobilisant pour le regarder en face. Mais tu n'as pas à rester à mon service. Allison et moi en avons discuté. Elle a raison. Tu mérites d'avoir une vie à toi.

Thomas en resta sans voix. Une existence séparée de la famille royale ? Une famille à lui, peut-être ? Non, c'était trop lui demander. C'était l'obliger à bouleverser sa vie.

— Cela ne change rien à ce que je suis, commenta-t-il tristement.

— Bon sang, qui *crois*-tu être ? demanda Jacob en le dévisageant intensément.

— Hum... un homme qui n'est jamais resté plus de trois mois avec une femme.

— Tu crois que tu as hérité de l'instabilité de ta mère et que tu quitteras Diane et votre enfant comme elle vous a abandonnés, tes frères et toi ? C'est ça, n'est-ce pas ?

Thomas soutint le regard direct du jeune roi.

— Oui.

— Tout est possible mais rien n'est fatal, dans la vie. Et le pire n'est jamais certain. Malgré tout, tu es prêt à risquer votre bonheur sur une simple crainte ? une superstition à propos d'une hérédité invérifiable ?

Thomas n'avait jamais envisagé les choses sous cet angle.

— Moi, je ne te vois pas comme un homme instable, reprit calmement Jacob en s'approchant de lui. Tu m'es fidèle depuis plus de douze ans, Thomas Smythe. Tu nous as soutenus, ma famille et moi, dans les épreuves les plus difficiles. J'imagine mal un tel homme en faire moins pour sa propre famille.

Les yeux soudain dessillés, Thomas se mit à réfléchir à toute allure. C'était comme si Jacob venait de lui offrir un magnifique territoire en lui disant : « A présent, tu peux construire ta maison, elle résistera à tout. »

Il inspira profondément, puis il fonça vers la porte.

— Où vas-tu ? demanda Jacob.

— Courtiser ma future épouse, répondit Thomas en souriant.

# 10.

Diane acheva l'inventaire de la dernière allée et rangea son stylo dans sa poche. La journée avait été longue et elle se réjouissait d'en voir la fin. Elle avait hâte de rentrer chez elle pour relever Elly et passer un moment avec ses petits avant de se détendre dans un bon bain moussant. Le mardi soir était consacré aux jeux de société, à la grande joie des enfants, et le petit Gary n'était pas le dernier à participer.

Glissant son bloc-notes sous le bras, elle pivota sur elle-même pour gagner l'arrière du magasin et s'enfonça dans un buisson de fleurs.

Du moins crut-elle que c'était un buisson.

Car, en reculant d'un pas, elle vit qu'il s'agissait d'un gigantesque bouquet de roses, de marguerites, de dahlias, de freesias, brandi par une énorme main. Elle pencha la tête de côté pour voir à qui appartenait la main.

— Thomas ? Qu'est-ce que tu fais là ?

Il baissa le bouquet.

— J'ai cru comprendre que l'état d'esprit d'une future maman affectait le fœtus.

— Quoi ?

— Si tu es heureuse, le bébé sera content, dit-il gravement.

— Oh... Oui, j'ai lu ça quelque part, moi aussi.

— Il est donc essentiel que tu sois détendue.

Elle se dirigea vers son bureau pour y déposer son état des stocks.

— Peut-être.

— Et je sais que tu aimes les fleurs.

— C'est vrai.

— Alors, tu es heureuse ?

Elle s'arrêta net et lui fit face.

— Où veux-tu en venir exactement, Thomas ?

Il haussa les épaules d'un air innocent.

— Nulle part. Je veux juste m'assurer que tu es bien... Dans l'intérêt du bébé.

Elle pénétra dans le bureau pour remettre l'inventaire à son patron et le salua avant de ressortir.

Devant la porte, Thomas l'attendait, le bouquet à la main.

Avec un soupir, elle enfouit son visage dans les fleurs et respira leur délicat parfum.

— Merci... pour le bébé et pour les fleurs. Elles sont magnifiques.

Ils quittèrent le magasin. Ils arrivaient à la voiture de Diane quand une idée la frappa.

— Dis-moi... Je croyais que tu devais regagner l'Elbie avant-hier soir ?

— Je l'ai fait.

— Et tu es déjà de retour ?

— J'ai des affaires urgentes à régler de ce côté de l'Atlantique.

— Je vois.

Elle ouvrit la portière et s'installa au volant. Elle n'était qu'en début de grossesse mais commençait à se sentir un peu pataude, alors que ses trois premières maternités avaient été à peine visibles avant le cinquième mois

— Eh bien, je dois rentrer maintenant. Il est temps que j'aille relever Elly.

Il tendit la main pour empêcher la portière de se refermer. Diane lui jeta un regard surpris.

— J'ai été invité à me joindre à la famille pour une partie de Cluedo ce soir, dit-il.

— Tu *quoi*?

— Je suis passé chez toi. Les enfants m'ont dit où te trouver et m'ont demandé de venir jouer avec vous ce soir, après ton travail.

— Ah, vraiment? commenta-t-elle d'un air soupçonneux. N'es-tu pas chargé d'une mission importante pour Jacob?

— Très importante.

— Tu ne crois pas que tu devrais t'en préoccuper en priorité?

— Ce sera fait.

— Bon, dans ce cas... Je dois m'arrêter en route pour acheter des pizzas, je te retrouve à la maison.

Il sourit et referma doucement la portière.

— Je me charge du dîner, dit-il. Rentre chez toi et détends-toi en m'attendant. Que préfèrent les enfants?

— Prends-leur une grande au fromage et une spéciale végétarienne pour moi... pour nous. Va Chez Angie, c'est le meilleur, il est juste à l'angle de ma rue.

La voiture embaumait du parfum des fleurs posées sur le siège passager. Jamais elle n'avait vu d'aussi beaux boutons, des couleurs aussi éclatantes. Elles lui rappelaient les fleurs des luxuriants massifs du parc du château, en Elbie. Mais Thomas ne les avait quand même pas rapportées d'Europe? Non, bien sûr. Il avait dû les acheter sur l'impulsion du moment, dans un accès de culpabilité...

Cela dit, le bouquet était magnifique.

De retour chez elle, elle renvoya Elly qui voulut savoir si Thomas n'avait pas eu de mal à trouver le magasin.

— Il est si séduisant, dit-elle en roulant des yeux enamourés, vous ne trouvez pas, madame Fields ?

— Bonne nuit, Elly, coupa Diane en riant. A demain.

Les enfants étaient déjà en pyjama et ils avaient installé le jeu de Cluedo sur le sol, au milieu du salon. Assis par terre autour de la table basse, ils dîneraient en s'amusant. La soirée s'annonçait divertissante. Diane décida qu'elle pouvait attendre quelques heures avant de prendre son bain.

Thomas arriva peu après. Elle avait eu le temps de troquer sa tenue de travail contre un ravissant pyjama d'intérieur qu'Allison avait tenu à lui offrir. Elle n'avait jamais eu de pyjamas de soie, peu pratiques et trop légers pour le climat frisquet de la Nouvelle-Angleterre, mais celui-ci était incroyablement chaud et douillet sur la peau.

Elle découpa les pizzas et les dressa sur des assiettes en carton pendant que Thomas servait le soda. Ils jouèrent pendant une heure et demie, et Diane s'amusa beaucoup. Elle craignait un peu que Thomas ne veuille s'attarder quand les enfants seraient couchés. Mais quand elle monta les border dans leurs lits, il débarrassa le salon et rangea la cuisine et, lorsqu'elle revint, il se leva pour prendre congé.

— Je me sauve, maintenant, dit-il. Tu as besoin de te reposer.

— Toi aussi, si tu as des rendez-vous demain.

Il acquiesça et porta ses doigts à ses lèvres pour y déposer un baiser léger, puis il s'en alla avant qu'elle ait le temps de réagir.

Pensive, elle le regarda regagner sa voiture de sa

170

démarche énergique. Elly avait raison. C'était vraiment un très bel homme. Dommage qu'il ne l'aimât pas...

Le lendemain, elle se préparait à aller travailler quand on frappa à la porte de la cuisine. Tiens, Elly était en avance pour une fois. Tant mieux.

Mais ce n'était pas Elly.

Stupéfaite, elle vit Thomas pénétrer dans la cuisine, les bras chargés de victuailles.

— Qu'est-ce que c'est ?

— Je remplace Elly aujourd'hui, dit-il, et il entreprit de ranger ses achats dans le réfrigérateur. Elle m'a appelé pour me dire qu'elle ne se sentait pas très bien.

— Elle t'a appelé, *toi*, pour dire qu'elle ne venait pas ?

— Elle ne voulait pas réveiller les enfants. Regarde, j'ai trouvé des crêpes aux myrtilles ! s'exclama-t-il en brandissant un paquet sous film plastique. Dans un magasin américain, tu imagines !

— J'imagine, commenta-t-elle d'un air perplexe.

Quelque chose ne collait pas. Mais elle n'avait pas le temps de discuter, et elle le laissa donc garder les enfants pendant qu'elle allait travailler.

Les jours qui suivirent, les soupçons de Diane se précisèrent. Thomas semblait toujours dans les parages. Il restait chez elle aussi longtemps que possible, plus tard de jour en jour. Et le lendemain, il était de retour aux premières heures de la matinée.

A chacune de leurs rencontres, elle l'interrogeait sur le déroulement de sa mission. Il se contentait de sourire et de lui assurer qu'il faisait le nécessaire.

Si elle était heureuse de sa présence, une angoisse diffuse la tenaillait. Plus les jours passaient, plus elle avait conscience du vide qu'il laisserait quand il repartirait. Les enfants s'étaient pris pour lui d'une vive affection et il le leur rendait bien. Son départ serait une dure épreuve pour eux. Délibérément, elle évitait de l'interroger sur la date de son retour en Elbie, et il n'abordait pas non plus le sujet.

Chaque soir, en rentrant à la maison, elle admirait les fleurs qu'il lui avait apportées au magasin le premier jour. Elles trônaient dans un vase sur la table de la cuisine et semblaient curieusement ne jamais se flétrir. Il lui fallut plusieurs jours pour se rendre compte qu'il remplaçait régulièrement les fleurs fanées par des fraîches. Et chaque jour, une nouvelle rose apparaissait, de sorte qu'au bout de deux semaines, le bouquet ne fut plus constitué que de roses.

Elle se demandait ce que Thomas essayait de lui dire, mais elle avait trop peur de la réponse pour lui poser la question.

Un soir, il surgit comme d'habitude dans les minutes suivant son retour à la maison. Cette fois, pourtant, Elly ne s'empressa pas de rassembler ses affaires pour prendre congé.

Thomas posa une boîte de pizza sur la table de la cuisine et adressa un clin d'œil à l'adolescente.

— Piments, oignons et poivrons verts, comme vous l'avez demandé, jeune *milady*.

Le regard souçonneux de Diane passa de l'un à l'autre.

— Qu'est-ce que vous mijotez, tous les deux ?

Elly gloussa.

— Je reste surveiller la tribu quelques heures de plus ce soir. C'est Thomas qui régale.

— Oh ?

— J'ai pensé qu'un dîner tranquille au bord de l'eau te ferait plaisir. La semaine a été longue et je vais...

— Laisse-moi deviner, coupa-t-elle, la gorge serrée, tu vas bientôt repartir...

— Oui, dit-il en posant sur elle un regard indéchiffrable.

Elle avait toujours su que ce jour viendrait. Mais les choses n'en étaient pas plus faciles pour autant.

— Donne-moi quelques minutes pour me changer, murmura-t-elle, et elle se précipita dans sa chambre pour cacher ses larmes.

Il l'emmena dîner chez Sonny, un charmant restaurant du bord de mer dont la terrasse illuminée par des chapelets de minuscules ampoules blanches donnait sur le rivage. Bien qu'on fût vendredi soir et que l'établissement fût très couru, ils étaient les seuls clients en terrasse. Le maître d'hôtel vint allumer le photophore posé sur leur table et s'éclipsa.

— C'est si beau dehors et la salle est bondée, je me demande pourquoi les gens restent à l'intérieur, remarqua-t-elle.

Thomas haussa les épaules.

— On aura le clair de lune pour nous deux.

Elle lui jeta un regard soupçonneux. D'abord les fleurs, puis la multiplication des roses, et maintenant un dîner en amoureux dans un restaurant en vogue ?

— Tu les as soudoyés pour que nous ayons la terrasse pour nous seuls, dit-elle d'un ton accusateur.

Il acquiesça complaisamment et posa la main sur la sienne sur l'épaisse nappe de lin.

— Ça t'ennuie ?

— Non... c'est agréable d'être en tête à tête... d'autant que tu repars bientôt. Et puis il y a... oh, peu importe.

Il emprisonna ses doigts tremblants dans les siens.

— Dis-moi à quoi tu penses, souffla-t-il.

— Je ne peux pas, répondit-elle, au bord des larmes.

— Pourquoi ?

— Bon sang, Thomas, ne le sais-tu pas ?

Elle l'aimait, et il allait la quitter. Encore. Et elle savait que jamais elle n'aimerait un autre homme que lui. Jamais.

— Ça t'aiderait si je parlais le premier ?

Elle le regarda fixement, prise au dépourvu.

— Il me semble que tu as été très clair sur les sentiments que tu me portes...

— Pas assez, pourtant. Ni pour toi, ni pour moi.

— Je vois, fit-elle, mais c'était un mensonge. Continue.

Il contempla les vagues qui venaient lécher doucement les piliers d'une jetée voisine baignée par la lueur argentée de la lune. Le visage tendu, concentré, il chercha ses mots tout en lui caressant machinalement la main.

— Je croyais bien me connaître, au point d'avoir décidé de toute ma vie à l'avance. Je me disais : « Un jour je serai comte de Sussex, j'hériterai du titre à la mort de mon père. Je continuerai à faire fructifier mon héritage pour pouvoir vivre de mes rentes quand je le choisirai. Je resterai au service de Jacob tant qu'il me supportera. Et je ne me marierai jamais », conclut-il gravement.

Le cœur de Diane manqua un battement.

— Veux-tu dire qu'une partie de tes plans a tourné court ?

— Exactement.

— Tu vas quitter le roi ?

— Non, je vais me marier.

La douleur fut si forte que Diane crut qu'elle allait se trouver mal. Ainsi, voilà pourquoi il était venu : pour assumer ses obligations paternelles avant de pouvoir

174

prendre une autre femme pour épouse, la conscience tranquille.

Elle avait l'impression d'être brisée en mille morceaux, détruite. Désespérée, elle reprit vivement sa main et fondit en larmes.

— Diane, non...

Elle ferma les yeux et secoua la tête. Elle était incapable de parler, incapable de se lever et de traverser la salle bondée pour sortir du restaurant, pour fuir. Mais elle ne pouvait pas non plus rester, encore moins avaler quoi que ce soit...

Oh, pourquoi ne pouvait-elle envisager leur séparation avec autant de détachement que lui ? Pourquoi comptait-il tant pour elle ? Elle se méprisait pour sa faiblesse mais n'arrivait pas à contenir ses larmes !

A un moment, elle prit conscience qu'il s'était agenouillé près d'elle. Un instant plus tard, il l'enlaçait et murmurait quelque chose qu'elle ne comprit pas, tant elle était secouée de sanglots convulsifs. D'ailleurs, elle ne voulait pas entendre ses paroles d'adieu, ou ses justifications ! Elle ne pourrait pas les supporter !

Puis, lentement, la voix de Thomas parvint à percer son désespoir.

— Ouvre les yeux... ouvre les yeux..., répétait-il doucement. Diane, fais-moi confiance, pour une fois...

Elle secoua la tête d'un air misérable, mais entrouvrit les paupières et le vit poser quelque chose sur ses genoux. A travers ses larmes, elle vit qu'il s'agissait d'un écrin de velours noir.

— Qu'est-ce que c'est... ?

Thomas se contenta de sourire...

Il fallut alors une bonne minute à Diane pour comprendre.

Mais, même alors, elle n'osa pas y croire.

Jouait-il avec elle ? Lui proposait-il encore une liaison sans avenir mais parée de bijoux ? Ou ce cadeau était-il destiné à atténuer le choc de la séparation ?

— Un homme sur le point de se marier ne doit pas offrir un cadeau de prix à une autre femme.

— Ce n'est pas ce que je fais, dit-il fermement.

— Je n'ouvrirai pas cet écrin.

— Pourquoi ?

— Si c'est une bague, j'aurai le cœur brisé. Parce qu'elle ne me revient pas.

— Je ne comprends pas.

— Ce bijou n'a pas la signification qu'il devrait, Thomas.

— Eh bien, demande-moi ce qu'il signifie, dit-il avec défi.

Elle secoua la tête. Elle n'avait pas ce courage.

— Demande-le-moi, insista-t-il en embrassant les lèvres humides de larmes de sa compagne.

Elle soupira, vaincue. Comment lutter quand elle se sentait si impuissante ?

— Très bien. Que signifie ce bijou pour toi ?

Il ouvrit le petit écrin. Elle eut le souffle coupé en voyant le diamant scintiller de mille feux sur le velours noir. Si c'était un cadeau de séparation, il avait dû coûter une fortune. Elle ne pouvait plus parler. Elle ne pouvait même plus respirer. Mais quand Thomas parla, elle faillit franchement perdre connaissance.

— Je t'aime, Diane, dit-il. Aucune femme ne m'a donné envie de rester toute ma vie auprès d'elle, avant toi. Je sais déjà qu'il n'y en aura pas d'autre après toi. Si tu me dis non, je passerai le reste de mes jours dans la solitude et l'amertume...

Il fallut un moment à Diane pour reprendre pied. Ses pleurs redoublèrent.

— Comment... pourquoi... comment peux-tu dire ça maintenant ? Ce n'était pas vrai il y a un mois...

— Si, mais je ne l'avais pas compris. J'avais besoin de faire le point. Il a fallu que je te perde pour réaliser l'évidence. Diane, mon amour, je t'ai aimée le premier jour où Allison nous a présentés. Tu étais mariée et mère de trois enfants et, si je te désirais, je ne pouvais pas t'avoir.

— Mais plus tard... quand tu as appris que j'avais divorcé...

Il l'embrassa sur la bouche et nicha le visage au creux de son épaule. Elle sentait bon, si bon.

— Il est difficile pour un homme de remettre en question les règles qui ont régi toute sa vie, murmura-t-il. Je regrette d'avoir été si long à ouvrir les yeux. Mais ne me repousse pas parce que je me suis conduit comme un imbécile. Désormais, je sais qui je suis vraiment et ce que je veux. Nous sommes faits l'un pour l'autre, non ?

Comme elle tremblait de tous ses membres, hébétée, il plongea son regard dans le sien.

— Je t'aime, Diane, répéta-t-il. Je suis prêt à te le dire et à te le redire. Cet aveu arrive-t-il trop tard ? As-tu cessé de m'aimer ?

— Je n'ai jamais dit que je t'aimais.

La lumière qui brillait dans les yeux de Thomas s'éteignit.

— Si, je t'aime, c'est vrai, reprit-elle vivement. Oui, je t'aime, Thomas... de tout mon cœur !

Il sourit, soulagé. Heureux.

A présent, ses mains s'affairaient, tenant le petit écrin pendant qu'il sortait la bague. Elle le regarda la glisser à l'annulaire de sa main gauche. Le magnifique diamant scintilla plus brillamment encore. Une splendeur éblouissante. La lumière fascinante d'une révélation.

— Alors, c'est « oui » ? murmura-t-il, encore inquiet.

— Oui, chuchota-t-elle. Oui, j'accepte de t'épouser, Thomas Smythe.

Et, se jetant à son cou, elle se mit à sangloter de plus belle sur son bonheur tout neuf.

Curieusement, leur mariage fut plus fastueux que celui de Jacob et Allison célébré secrètement dans un cabinet d'avocats de Manhattan pour éviter la pression médiatique.

Jacob insista pour que Diane et Thomas se marient dans la chapelle du château, entourés des enfants et des parents de la jeune femme ainsi que d'une centaine d'invités dont elle se serait volontiers passée. Néanmoins, elle se réjouit que Thomas accepte de bon gré ce mariage en grande pompe, comme s'il voulait lui prouver qu'il ne redoutait plus l'engagement solennel auquel il s'était si longtemps dérobé. Son *oui* résonna longuement sous les voûtes ancestrales de la vieille église. Et quand le prêtre les déclara mari et femme, il la prit dans ses bras et lui donna un long baiser qui lui laissa juste assez de souffle pour remonter la nef au bras de son nouvel époux.

Ils ne se quitteraient plus jamais. Diane accepta de s'investir dans le programme d'aide humanitaire de la fondation von Austerand, ce qui lui donnait un travail passionnant et lui laissait le temps de mettre son bébé au monde et de profiter de ses trois aînés. Thomas lui proposa de vivre où elle voudrait et de lui acheter une plus grande maison. Mais elle resta pratique.

— Pour ton travail et le mien, nous devrons vivre en Elbie la majeure partie de l'année. Tu comptes rester avec Jacob ?

— J'aimerais continuer à faire partie de son entourage, mais nous avons déjà parlé de réduire mes heures pour que j'aie du temps à consacrer à ma famille.

La fierté avec laquelle il avait dit les mots *ma famille* la toucha profondément. Il avait accepté ses enfants avec tendresse et générosité, et elle ne doutait pas qu'il serait toujours là pour eux.

Il fut donc décidé que les Smythe habiteraient un grand appartement privé dans l'aile ouest du château, qui comprendrait l'ancien logement de Thomas complété de plusieurs pièces pour les enfants. Pour leur confort, on ajouterait une petite cuisine et des salles de bains supplémentaires.

Quant à Gary, il écrivit encore une fois à Diane pour lui demander de l'argent afin de lancer son affaire... Ce fut Thomas qui répondit en lui joignant un chèque en échange de la promesse de Gary de ne plus jamais les importuner !

Les mois passèrent... Un jour, Thomas vint rejoindre Diane dans le parc. Elle était assise sur un banc de pierre, une rose sur les genoux, et il comprit qu'elle pensait au bouquet qu'il lui avait offert quand il était revenu la courtiser à Nanticoke.

— Tu as des regrets ? demanda-t-il.

Elle leva les yeux, surprise par sa question.

— Non, pourquoi ?

— Tu sembles heureuse, je voulais juste m'en assurer.

— Je suis au paradis, murmura-t-elle en l'attirant à elle pour l'embrasser à perdre haleine.

Il s'assit près d'elle sur le banc de pierre et ramassa la rose. Empreint d'une tendresse touchante, son regard glissa sur le ventre rond de sa femme.

— Tu te sens bien, n'est-ce pas ?

— Parfaitement bien, répondit-elle en souriant.

— Tu ne regrettes pas le Connecticut ?

Elle secoua la tête.

— J'aimerais y retourner en vacances de temps en temps. Mais Nanticoke ne me manque pas, non. Il me paraît plus important que nous soyons ensemble... où que ce soit.

Il acquiesça. Diane avait raison ; comme elle, il savait qu'il pourrait bâtir son foyer partout, du moment qu'ils seraient ensemble. Qu'importait l'endroit, quand l'amour était là.

— J'ai une chose à te demander, dit-elle, hésitante.

Il lui jeta un regard inquiet. Quelque chose manquait-il au bonheur de Diane ?

— Dis-moi, la pressa-t-il, prêt à tout pour lui plaire.

— J'aimerais que tu cesses de me traiter comme si j'allais me briser quand nous faisons l'amour.

Il rit.

— Mais le bébé... !

Elle lui sourit tendrement.

— Tu ne lui feras pas de mal... ni à moi.

— Tu en es sûre ?

Elle se pressa contre lui. Ses seins mûrs s'écrasèrent contre sa poitrine, sa belle bouche s'empara de la sienne avec fièvre. Elle glissa les mains sous sa chemise pour le caresser, éveillant instantanément son désir.

— Même quand je serai plus imposante, dit-elle, les yeux pétillant de malice.

Il émit un rire de gorge.

— Oh, vraiment ? Nous devrions peut-être nous exercer dès maintenant ? suggéra-t-il. Juste pour être sûrs...

— Vous avez raison, lord Smythe.

Il la souleva dans ses bras et l'embrassa une douzaine de fois avant d'atteindre leur chambre. Et tandis qu'ils faisaient l'amour durant ce douillet après-midi d'hiver, Thomas sut que rien ni personne ne pourrait jamais plus le faire douter ni de lui-même, ni de l'amour.

# Le nouveau visage de la collection Or

◆

## AMOURS D'AUJOURD'HUI

Afin de mieux exprimer sa modernité et de vous séduire encore davantage, votre collection Or a changé de couverture et de nom depuis le 1er mars 1995.

Rassurez-vous, les romans, eux, ne changent pas, et vous pourrez retrouver dans la collection **Amours d'Aujourd'hui** tous vos auteurs préférés.

Comme chaque mois, en effet, vous y attendent des héros d'aujourd'hui, aux prises avec des passions fortes et des situations difficiles...

**COLLECTION
AMOURS D'AUJOURD'HUI :**
Quand l'amour guérit des blessures de la vie...

Chère lectrice,

Vous nous êtes fidèle depuis longtemps?
Vous venez de faire notre connaissance?

C'est pour votre plaisir que nous avons
imaginé un rendez-vous chaque mois
avec vos auteurs préférés, vos
AUTEURS VEDETTE dans les
collections Azur et Horizon.

Les AUTEURS VEDETTE vous
donneront rendez-vous pour de
nouveaux livres vedette.

Pour les reconnaître, cherchez
l'étoile... Elle vous guidera!

Éditions Harlequin

HARLEQUIN

*LE FORUM DES LECTEURS ET LECTRICES*

CHERS(ES) LECTEURS ET LECTRICES,

VOUS NOUS ETES FIDÈLES DEPUIS LONGTEMPS?

VOUS VENEZ DE FAIRE NOTRE CONNAISSANCE?

SI VOUS AVEZ DES COMMENTAIRES, DES CRITIQUES À
FORMULER, DES SUGGESTIONS À OFFRIR, N'HÉSITEZ
PAS... ÉCRIVEZ-NOUS À:
      LES ENTERPRISES HARLEQUIN LTÉE.
      498 RUE ODILE
      FABREVILLE, LAVAL, QUÉBEC.
      H7R 5X1

C'EST AVEC VOS PRÉCIEUX COMMENTAIRES QUE NOUS
ALLONS POUVOIR MIEUX VOUS SERVIR.

DE PLUS, SI VOUS DÉSIREZ RECEVOIR UNE OU
PLUSIEURS DE VOS SÉRIES HARLEQUIN PRÉFÉRÉE(S)
À VOTRE DOMICILE, NE TARDEZ PAS À CONTACTER LE
SERVICE D'ABONNEMENT; EN APPELANT AU
(514) 875-4444 (RÉGION DE MONTRÉAL) OU 1-800-667-4444
(EXTÉRIEUR DE MONTRÉAL) OU TÉLÉCOPIEUR
(514) 523-4444 OU COURRIER ELECTRONIQUE:
AQCOURRIER@ABONNEMENT.QC.CA OU EN ÉCRIVANT À:
      ABONNEMENT QUÉBEC
      525 RUE LOUIS-PASTEUR
      BOUCHERVILLE, QUÉBEC
      J4B 8E7

MERCI, À L'AVANCE, DE VOTRE COOPÉRATION.

BONNE LECTURE.

HARLEQUIN.

*VOTRE PASSEPORT POUR LE MONDE DE L'AMOUR.*

# COLLECTION
# HORIZON

Des histoires d'amour romantiques qui vous mènent au bout du monde!

Découvrez la passion et les vives émotions qu'apportent à la Collection Horizon des auteurs de renommée internationale!

Captivantes, voire irrésistibles, ces histoires d'amour vous iront assurément droit au coeur.

Surveillez nos quatre nouveaux titres chaque mois!

## La COLLECTION AZUR

Offre une lecture rapide et

- ☑ stimulante
- ☑ poignante
- ☑ exotique
- ☑ contemporaine
- ☑ romantique
- ☑ passionnée
- ☑ sensationnelle!

COLLECTION AZUR... des histoires
d'amour traditionnelles qui vous
mènent au bout du monde!
Six nouveaux titres chaque mois.

Composé sur le serveur d'Euronumérique, à Montrouge
PAR LES ÉDITIONS HARLEQUIN
Achevé d'imprimer en décembre 2000
sur les presses de l'Imprimerie Bussière
à Saint-Amand-Montrond (Cher)
Dépôt légal : janvier 2001
N° d'imprimeur : 2529 — N° d'éditeur : 8584

*Imprimé en France*